APARECIDA
Uma novela sobre a história da imagem
antes de ter sido encontrada no
Rio Paraíba em 1717

F. M. BUENO DE SEQUEIRA

APARECIDA
Uma novela sobre a história da
imagem antes de ter sido encontrada
no Rio Paraíba em 1717

Adaptação de texto: Clodoaldo Montoro
Prefácio de Rodrigo Alvarez

EDITORA
SANTUÁRIO

DIREÇÃO EDITORIAL:
Pe. Fábio Evaristo Resende Silva, C.Ss.R.

CONSELHO EDITORIAL:
Avelino Grassi
Ferdinando Mancilio
Marlos Aurélio
Mauro Vilela
Victor Hugo Lapenta

COORDENAÇÃO EDITORIAL:
Ana Lúcia de Castro Leite

COPIDESQUE:
Luana Galvão

REVISÃO:
Manuela Ruybal

DIAGRAMAÇÃO E CAPA:
Bruno Olivoto

ILUSTRAÇÕES:
Mauricio Pereira

Dados Internacionais de Catalogação na Publicação (CIP)
(Câmara Brasileira do Livro, SP, Brasil)

Sequeira, Bueno de, cônego
    Aparecida: uma novela sobre a história da imagem antes de ter sido encontrada no Rio Paraíba em 1717 / Bueno de Sequeira; adaptação de texto Clodoaldo Montoro. – Aparecida, SP: Editora Santuário, 2016.

    ISBN 978-85-369-0456-6

    1. Ficção cristã 2. Ficção brasileira 3. Nossa Senhora Aparecida – Aparição e milagres – Ficção 4. Nossa Senhora Aparecida – História – Ficção I. Montoro, Clodoaldo. II. Título.

16-05295   CDD-869.3

Índices para catálogo sistemático:
1. Ficção cristã: Literatura brasileira 869.3

2ª impressão

Todos os direitos reservados à **EDITORA SANTUÁRIO** – 2017

Rua Pe. Claro Monteiro, 342 – 12570-000 – Aparecida-SP
Tel: 12 3104-2000 – Televendas: 0800 - 16 00 04
www.editorasantuario.com.br
vendas@editorasantuario.com.br

A imagem de Nossa Senhora Aparecida antes e depois do restauro de 1946, realizado pelo missionário redentorista Pe. Alfredo Morgado. Para fortalecer a fixação da cabeça, foram refeitos parte dos cabelos e do pescoço, usando cimento e serragem.

Palavras iniciais

Em certa ocasião, o Pe. Carlos da Silva, C.Ss.R., então diretor da Editora Santuário, falou-me de um livro que ele conhecera há muito tempo, sobre Nossa Senhora Aparecida. Disse-me que era um romance muito interessante, escrito por um padre, mas que não era uma história tal e qual, e sim uma fantasia construída, tendo como pano de fundo o encontro da imagem da santinha pelos pescadores.

Mais recentemente conversei com outro redentorista, o Pe. Victor Hugo Silveira Lapenta, e ele me confirmou que em seus tempos de seminário esse livro era lido "à mesa", isto é, em voz alta durante as refeições, e os seminaristas acompanhavam atentos, capítulo por capítulo. Lembrou que se tratava de um romance muito agradável e muito bem escrito. O autor era o Cônego Bueno de Sequeira.

Consegui encontrar uma edição impressa em 1954, que pertencera à Sra. Conceição Borges, já falecida, e que foi uma professora muito estimada na cidade de Aparecida.

O romance traz uma trama que antecede ao encontro da imagem de Nossa Senhora da Conceição Aparecida. Trata-se de uma resposta fictícia à questão que muitos se fazem: "Como é que essa imagem quebrada foi parar no fundo do rio? Quando e por que a santinha foi jogada nas águas do rio Paraíba?"

O leitor contemporâneo poderá estranhar alguns termos e expressões que encontrará na obra. Deverá ter em consideração tanto o tempo em que se situa a história como o tempo vivido pelo próprio autor.

Este livro fantástico, escrito magistralmente por Cônego Sequeira, tem o dom de nos ajudar a reconhecer como divina a história de Nossa Padroeira. Por esta leitura, com certeza, cresce nosso amor a Maria Santíssima. Assim, alegres e agradecidos, podemos celebrar os 300 anos do encontro de sua imagem querida.

Agradecimentos também ao Cônego Bueno de Sequeira, agora junto da Mãe de Deus e nossa.

Clodoaldo Montoro

Prefácio
de Rodrigo Alvarez

Assim como a imagem da santinha encontrada no fundo de um rio, este livro que você tem em mãos precisou ser resgatado do esquecimento, precisou ser tratado com o devido cuidado para que só então pudesse ressurgir convidando o leitor a voltar ao tempo em que seu autor, um homem que transitava pela literatura e pelos jornais, especializado em língua portuguesa, o cônego Bueno de Sequeira, resolveu escrever uma ficção sobre a Senhora do Brasil.

O prefácio publicado com a primeira edição da novela, em 1944, conta-nos que faltavam livros que se aprofundassem sobre tema tão importante e pergunta – com uma propriedade que chegaria intacta aos nossos tempos – quantas histórias não estariam guardadas nesse Santuário de Aparecida, para onde milhões e milhões de brasileiros viajam para mudar suas vidas ou agradecer alguma mudança que lhes chegou – eles não têm dúvida – por intermédio da santinha.

Quando resolvi dedicar três anos de minha vida a pesquisar sobre Aparecida não foi para escrever um livro devocional e muito menos ficcional. Apesar de minha origem católica, o que me motivou foi – como se faz agora – revelar histórias escondidas por trás do maior fenômeno da fé brasileira. Minha missão era recolher tudo o que houvesse de factual sobre a imagem de Aparecida e contar sua história. Muitas vezes, no entanto, deparei-me com vazios. Entre os mais intrigantes estavam a origem dos pescadores e seus destinos. Até hoje me pergunto, por exemplo, se os peixes que chegaram em abundância depois do encontro da imagem de fato foram levados à mesa do governador que acabava de chegar.

Os primeiros devotos daquela santinha, que o tempo fez ficar negra, não deixaram cartas nem diários que nos ajudassem a desvendar mistérios importantíssimos e curiosíssimos. Mesmo os relatos oficiais, feitos pelo padre Vilela ou pelos padres jesuítas encarregados de relatar os acontecimentos das paróquias, todos feitos tardiamente, não souberam nos dizer o que aconteceu antes que os três pescadores retirassem primeiro o corpo e "um pouco mais adiante" a cabeça daquela imagenzinha, que lhes veio cheia de lodo, sem os cabelos longos que vemos hoje e, ainda por cima, de nariz quebrado.

O livro que você tem em mãos faz o que também fizemos muitos de nós, que nos apaixonamos por essa história brasileira: cria personagens e situações. Tenta recriar o universo do vilarejo de Guaratinguetá em um tempo terrível, quando o temido governador, o

Prefácio de Rodrigo Alvarez

português que pouco depois ficaria conhecido como Conde de Assumar, chegava para cortar cabeças e botar ordem na capitania de São Paulo e Minas de Ouro. Seu escritor foi tão bem-sucedido que, em algum momento, a novela passou a ser lida dia após dia pelos padres redentoristas à mesa do jantar.

Depois de me aprofundar tanto nessa história, não tenho a menor dúvida de que Aparecida é um símbolo nacional da maior importância. Uniu os brasileiros antes mesmo do futebol, do samba, de nossa bandeira e até da palavra "brasileiro". Que este livro, resgatado das águas profundas de um (quase) esquecimento, aproxime-nos ainda mais dessa imagenzinha de barro que vai completando 300 anos e, por razões religiosas, culturais e até políticas, tornou-se inseparável da história do Brasil.

RODRIGO ALVAREZ é correspondente da TV Globo em Berlim, na Alemanha. Nasceu no Rio de Janeiro e desde 2004 viveu e trabalhou em São Paulo, Nova York, São Francisco e Jerusalém. Publicou os best-sellers *Aparecida* (2014) e *Maria* (2015), antes disso escreveu dois livros de memórias jornalísticas: *No País de Obama* e *Haiti, Depois do Inferno*.

Prefácio
da primeira edição[1]

Os grandes acontecimentos despertam sempre em torno de si os mais variados lances de interpretação e de poesia. Jamais ficam esquecidos no vasto panorama da história. A imaginação popular ou literária faz deles um centro fértil das mais belas irradiações.

Assim tem sido em Fátima[2] com o aparecimento de Nossa Senhora, a Virgem de branco e dourado, em uma festa multicolorida do milagre do sol. Foi assim que o escritor Antero de Figueiredo registrou, com sua pena maravilhosa, as páginas encantadoras de seu livro sobre a "Lourdes lusitana".

E cada prodígio, florescido como um milagre de graças aos pés das azinheiras que guardam o reflexo espiritual da visão virginal, desperta na mente de nobres escritores o anseio de perpetuar em uma narrativa, em um romance ou em uma novela, o fato miraculoso.

---

[1] Este prefácio da primeira edição foi escrito em 1944 pelo Pe. Antônio d'Almeida Moraes Júnior, futuro bispo de Montes Claros (1949) e arcebispo de Olinda e Recife (1952) e de Niterói (1960). Foi famoso orador sacro e pertenceu a diversas associações culturais, como o Instituto Histórico Geográfico de São Paulo, Instituto Arqueológico de Pernambuco e Academia Mineira de Letras, entre outros.

[2] Em 1944, na ocasião do lançamento deste livro, as aparições de Fátima, em Portugal, completavam 27 anos.

Aparecida

No Brasil, falta-nos ainda literatura sobre o fato, sem dúvida admirável, do encontro da imagem sagrada de Nossa Senhora Aparecida.

E, entretanto, aquela imagenzinha morena tem sido a testemunha silenciosa de coisas maravilhosas e profundas, do encontro surpreendente das angústias e dos bálsamos consoladores.

Quantos dramas íntimos e dilacerantes, quantas torturas ocultas e trágicas, quantas feridas de espinhos penetrantes, quantas dores indizíveis e amargas decepções não foram buscar aos pés da tradicional imagem, numa emoção indescritível, o remédio miraculoso!...

Nos favorecidos pela Senhora, naqueles que penetram Basílica adentro, caminhando de joelhos, ou recitando em voz alta a "Salve-Rainha", ou vestindo peças à semelhança de mortalhas, como para significar benefícios tão grandes como ressurreição; quanta emoção, quantos dramas ocultos, quantas tragédias espirituais não poderiam surpreender a pena do romancista católico!

Que material humano, real e sugestivo, para as páginas de interioridade e de vida em profundeza!

E como poderia aparecer aquela doce imagem da Imaculada reconstruindo destinos, recompondo harmonias, cicatrizando feridas profundas de alma ou enxugando as lágrimas, que brotam de tantos olhos sofredores!

Prefácio da primeira edição

Têm, porém, faltado penas que bordem narrativas emocionantes em torno da tradicional imagem da Aparecida.

Pelo menos não conhecemos trabalho nesse sentido.

Agora, porém, aparece este livro. Ele procura adivinhar um acontecimento histórico que esteja em relação com a misteriosa imagem. Não é uma história real, embora envolva personagens reais. Todos os nomes de família que enchem suas páginas estão mencionados nos documentos que pudemos consultar nos arquivos de Guaratinguetá. Só o nome de Betim não figura nos documentos autênticos, pelo menos enquanto nos foi possível verificar.

O enredo da novela parece corresponder àquela expressão de Tristão de Ataíde, nosso grande crítico: "tem a concisão do conto e o cruzamento de destinos do romance e, portanto, a sugestão de caminhos irradiantes... A novela abre janelas para o horizonte, mas não chega a alcançar os caminhos que indica, de modo que seu encanto está justamente no indefinido, na sugestão, na viagem interrompida, nos pressentimentos apenas provocados". Estes últimos requisitos não são aqui bem acentuados, mas nem por isso há diminuição nas sugestões que o livro provoca.

O estilo se reveste sempre de discreta ornamentação e guarda as tonalidades de um sabor clássico, característico e sempre vivo nas obras do Revmo. Cônego Sequeira.

Aparecida

Este livro tem o mérito de abrir a senda para uma literatura viva e palpitante em torno do tema cristão e brasileiro, a Virgem Aparecida.

Guaratinguetá, 20 de dezembro de 1944.

Pe. Antônio d'Almeida Moraes Júnior
Pároco de Guaratinguetá

Explicação prévia

Os acontecimentos expostos neste livro, relativamente ao encontro da imagem de Nossa Senhora nas águas do Rio Paraíba, são rigorosamente históricos. Serviu-nos de fonte a crônica que se guarda nos arquivos da Basílica, redigida por uma personagem contemporânea desses acontecimentos. Só nos pertence a intriga do romance propriamente dita, produto de nossa pura fantasia. Mas essa mesma intriga tem algum fundamento histórico, pois a crônica a que nos reportamos deixa entender que a Imagem foi parar no rio em virtude de ação humana, não se sabe se sacrílega, se ocasional. Tivemos, por isso, o cuidado de conservar em nossa narrativa o modo antigo, roubando-lhe duas passagens que vinham em auxílio de nosso objetivo.

Quanto à origem próxima da imagem, três hipóteses se oferecem à consideração do historiador:

1. A imagem foi lançada ao rio por seus próprios possuidores, depois de se ter quebrado acidentalmente. Não podendo ou não sabendo restaurá-la, podiam tê-la enterrado, como geralmente se usa. Preferiram lançá-la ao rio.

2. Uma enchente invadiu a casa dos donos da imagem, e esta foi arrastada ao rio durante o refluxo das águas.

3. A imagem foi atirada ao rio por mãos sacrílegas.

Preferimos a terceira hipótese, por ser mais verossímil. Os milagres que Nossa Senhora se dignou operar por meio da imagem, depois de reencontrada, vieram como reparação ou desagravo do sacrilégio. Em todo caso, fique sempre entendido que nossa história se assenta sobre o terreno movediço de mera hipótese.

Quanto à origem remota da imagem, deixamo-la sem solução, porque faltam documentos históricos. A própria tradição, neste particular, é deficiente e obscura.

Quiséramos, não como adivinho, mas como visionário, predizer a larga repercussão que esta novela está destinada a ter no seio das famílias piedosas. A prudência, porém, aconselha-nos reserva. Devemos abster-nos de profecias otimistas e arriscadas. Toda projeção acerca de livros novos há de ser tímida e cautelosa. Porque os livros são como as crianças de berço: têm seu destino, o mais das vezes, oculto às previsões humanas.

Não tema o piedoso leitor encontrar aqui uma leitura forte, vedada às consciências meticulosas. Nem espere o leitor profano cenas escabrosas. "Nem tanto ao mar nem tanto à terra."

Explicação prévia

Meio termo entre escolas extremistas. Isso sim. Romance, não é este livro um catecismo de devoção ou manual de piedade, exalando fragrância de incenso; mas também não é nenhuma profanação, espalhando irreverências. É preciso dizer que procuramos escrever este livro segundo os moldes da mais pura doutrina.

É um livro bem brasileiro. Pelo assunto e pela paisagem. Pela composição também. Linguagem nossa, em boca de conterrâneos. Mas linguagem atual. Levando o leitor a uma distância de duzentos anos, não quisemos falar-lhe a língua arcaica. Nossos personagens, com exceção de alguns vocábulos técnicos, usam expressões de hoje em dia. Fora-nos fácil arcaizar a frase. Fora-nos fácil vestir nossa Marta e nosso Manuel Gil ao modo de seus contemporâneos, emprestando-lhes espartilhos e calções de veludo. Mas não quisemos estender a narrativa, retardando o desenlace da ação. Fugimos do escrever romance de costumes. É uma novela rápida, para a gente ler no bonde, indo para a aula, ou durante as aulas, furtivamente, enquanto o professor ensina as declinações latinas. Uma novela com páginas épicas da história pátria, em que se leem os nomes das famílias-tronco, às quais se prendem os ramos povoadores do Brasil central.

Belo Horizonte, outubro de 1943.

I
Segundas núpcias

A vaca preta, com uma marca branca na testa, ia investir contra a garota, quando o fazendeiro, de longe, gritou:

– Marta, cuidado com a Negrinha!

Marta trepou, às pressas, na cerca, mas, olhando para trás, viu que não havia motivo para susto.

– Esta é mansa, tio Gil – observou ela, falando para o velho.

– Sim, mas deu cria ainda ontem e está enfezada.

– Que tem isso? Nós somos amigas. Quer ver só?

Antes de qualquer resposta de Amaro Gil, Marta já tinha descido da cerca e caminhado ao encontro da vaca. Esta, de fato, já estava mais tranquila, reconhecendo a garota. Com a cabeça levantada, voltou à procura de sua cria, uma bezerrinha de pernas ainda bambas, que tinha ficado perto do cocho.

Os trabalhadores da fazenda Vista Alegre, todos eles escravos, estavam finalizando a ordenha do dia. Amaro Gil de Siqueira, o fazendeiro, dirigia pessoalmente o trabalho de seus homens.

Acabada a tarefa, não se ouviam mais no curral os berros impacientes das vacas chamando pelos bezerros. Viam-se vários baldes cheios de leite ainda espumante. E vacas ruminando, mastigando vagarosamente, enquanto os bezerros, mamando, socavam cabeçadas em suas tetas quase murchas.

Naquela manhã friorenta de maio, o ambiente do curral era morno e agradável. O cheiro de estrume e do gado impregnava o ar. Foi quando um moleque abriu a porteira do pasto pequeno e os animais começaram a sair, lentamente, dando mugidos chochos e soltando fumaça e baba pelas bocas.

Empunhando uma vara comprida, Marta estava entre os escravos e ia de canto a canto, tocando:

– Eia, Malhada! Para fora, Mussunga!

Saída a última vaca, Marta ajeitou na cabeça um chapéu de palha, de abas largas, e ordenou ao moleque:

– Vá dizer a tio Gil que vou andar pelo campo. Vou até o engenho dar uma olhada nas varas de pescar que deixei de espera; quando for hora do almoço, me chamem.

Ganhando a estrada, Marta se pôs a cantarolar certa cantiga de Moçambique, que uma escrava lhe havia ensinado, e foi descendo a encosta, passo a passo. O espetáculo da manhã era-lhe demasiado familiar para merecer sua atenção. O sol subindo e crescendo em calor; as sombras das árvores tornando-se menores e deformadas à medida que o sol se distanciava do horizonte; cigarras cantando; algumas porcas espichadas junto das cercas, de barriga para o ar, com leitões descontentes sugando-lhes as tetas; dois canarinhos caídos de uma árvore e metidos em uma briga de morte, porém festivos e melodiosos na luta indecisa... borboletas dançando, soltas no ar... rolinhas fogo-apagou ciscando pelo caminho... Quanta atração no céu e na terra, nessa hora matinal!

Marta seguia, cantarolando sempre. Ia alegre e risonha, apesar da nostalgia da cantiga.

O engenho estava instalado em uma baixada do terreno, não muito longe da sede da fazenda Vista Alegre. A água que fazia girar a roda vinha de um córrego volumoso que, mais em cima, servia para aguar as plantações de hortaliças; saindo do engenho, a água juntava-se de novo ao córrego, e este ia despejar-se, não longe dali, no Rio Paraíba.

A meio caminho, para quem desce da fazenda para o engenho, viam-se algumas casas de camaradas e serviçais, quase todas cobertas de sapé.

Ao passar em frente de uma dessas casinhas, Marta resolveu entrar para tirar um dedinho de prosa. Tinha necessidade de conversar.

– Dá licença, Nhá Maria.

E foi entrando. Na cozinha, encontrou o casal conversando baixo. Nhá Maria, de chaleira na mão, servia uma bebida qualquer em uma tigela que o marido segurava; e o marido, assentado em uma banqueta enegrecida, que era um dos poucos móveis da casa.

– O que, Zé Congo! – exclamou Marta. – O Sr. aqui! Francamente que eu não esperava encontrá-lo.

– É. Cheguei esta noite e bem cansado.

– Que bom! – observou Nhá Maria, dirigindo-se a Marta. – Nhazinha vai tomar conosco uma tigelinha de chá?

– Aceito, Nhá Maria – disse Marta, risonha.

– Congonha-de-bugre – explicou Zé Congo –, muito boa para o estômago. E gostosa também. Veja! – e estalou a língua no céu da boca, como costumava fazer quando acabava de engolir um trago de cachaça.

– De fato! – concordou Marta, experimentando.

– Mas com este chapelão, menina?

– Mais elegante do que o seu, de couro, Zé Congo, que até parece um pedaço de tolda de carro. Mas se incomoda, tiro.

E, livre do chapéu, a cabeleira da moça, alourada e basta, ostentou uns tons furta-cores porque, a essa hora, um pedaço enorme de sol, metendo-se pela janela, inundava de claridade o interior da cafua.

– Sabe o que o Zé estava me dizendo, Nhazinha?

– Que quase morreu de saudades de vosmecê...

– Era o que faltava... Esta enjoada! – gargalhou o camarada, olhando desdenhosamente para a esposa.

– Falava a respeito de sua mãe, Nhazinha.

– De mamãe? O Zé Congo viu mamãe em Guará?

– Não. Não vi. Mas escutei dizer que o casamento dela agora sai mesmo...

– Quer dizer que eu vou ter padrasto?

– Parece. E é o novo vizinho, o sargento-mor Frederico Betim, viúvo também, o tal que comprou a fazenda do Cafundó.

– Dizem – atalhou Nhá Maria, querendo mostrar-se tão bem informada quanto o marido – que ele quer emendar a fazenda do Cafundó com a dos Guarás, e assim suas terras irão quase de serra a serra.

– Mas isso não pode ser, Nhá Maria, pois a dos Guarás não é só da mamãe. Eu também tenho parte lá. Se mamãe tornar a se casar, certamente há de separar o que é meu.

E voltando-se para o camarada:

– Onde vosmecê conseguiu essa notícia, Zé Congo?

– Dos avisos de casamento que são dados na Igreja de Guaratinguetá.

– Verdade?

– Pois é. Fui à missa anteontem e escutei o padre falar: "Com a graça de Deus, querem se casar..., falou os nomes de vários casais e o último foi esse – o sargento-mor Frederico Betim, viúvo de Sebastiana Bicudo, com dona Leonor Portes del Rei, viúva de Sebastião Gil de Siqueira.

– E os noivos estavam na Igreja? – perguntou Marta, mal disfarçando um riso.

– Não vi.

– Mamãe tem razão... é moça ainda... moça e bonita.

– Mas o pior... me desculpe... a opinião não é minha...

– Pior o que, Zé Congo?

– O pior é que o sargento-mor é muito mais idoso que D. Leonor. Imagine que tem um filho de vinte e cinco anos...

– Isso não é nada, o que receio é que minha mãe queira me levar para o Cafundó, depois de casada. Eu estou muito bem aqui em Vista Alegre, na companhia dos meus tios.

– Sobretudo depois que seu primo voltou de São Paulo – observou Nhá Maria, com malícia.

– Sobretudo, sim – concordou Marta, inocentemente –; a fazenda agora está muito mais alegre.

Dizendo isso, Marta saiu para o terreiro, um tanto distraída e precipitada. Desculpando-se, disse:

– Estava me esquecendo... devo ter algumas traíras nos anzóis que deixei de espera... Volto já.

Daí a pouco, o ruído da água do bicame, rolando no ladrão de escape, já se fazia ouvir a pequena distância. A roda estava parada.

Aparecida

Marta estava chegando perto do engenho quando ouviu gente falando alto no interior da casa. Adiantando o passo, notou que não era uma simples conversa entre amigos. Eram vozes alteradas. Pareceu-lhe que dois homens discutiam violentamente. Ajeitando, então, o ouvido com o cavo da mão direita, para se proteger um pouco do barulho da água, Marta percebeu claramente palavras ditas em língua tupi.

Discussão exaltadíssima. Palavras ofensivas. De repente, sinais de luta corporal, ruídos de respiração ofegante, esbarros nas paredes e safanões. E, por fim, uma queda, com um grito:

– Ai! Ah... seu covarde!

A princípio, Marta quis fugir, apavorada. Mas, pressentindo o desfecho trágico, subiu o barranco e, nervosamente, gritou para o lado das casas:

– Zé Congo! Zé Congo! Corre aqui!

Ao apelo de Marta, um dos homens escapou pelo fundo, desceu pela fornalha apagada e tomou, apressadamente, a estrada de Guaratinguetá. Marta, voltando-se, pôde ver o tipo que fugia e observou-lhe o cabelo grisalho, o nariz empinado e pontudo, o aspecto ameaçador. Viu também que, fugindo, o assassino levava uma sacola de viagem surrada pelo uso.

Quando Zé Congo chegou, com sua mulher, o estranho personagem tinha desaparecido na curva do caminho... Mas ainda foi visto ao longe, já agora montado em um cavalo que feria os cascalhos, correndo em disparada. Com uma das mãos segurava a rédea e, com a outra, segurava a sacola, a que parecia dar muito valor.

Chegaram outros camaradas. Chegaram pessoas da fazenda. Chegaram também Amaro Gil e seu filho, Manuel.

No interior do engenho, caído sobre uma poça de sangue, o corpo de um índio, ainda quente. Mas nenhum dos presentes conseguiu identificar a vítima. Criatura completamente desconhecida. A seu lado não se encontrou objeto algum de valor. Pode até ser que a sacola levada pelo fugitivo pertencesse ao índio.

Constatada a morte da vítima, as mais absurdas conclusões foram feitas em torno do crime. Tratava-se, evidentemente, de um assassinato, friamente premeditado e cruelmente executado.

– Marta – perguntou Manuel Gil à prima –, você não percebeu o que eles estavam dizendo, qual o motivo da briga?

– Percebi, mas eram palavras desconexas, faladas ao fogo da discussão, com raiva e desespero. Um deles dizia:

– Entrega a sacola! Esse ouro foi roubado. Quero a sacola e a carta.

– Entregarei tudo ao dono – respondeu a outra voz –, mas só ao dono.

— Índio imbecil!

— Branco safado! Branco ladrão!

— O mais estranho de tudo – observou Marta – foi que o nome de meu tio apareceu no meio das frases e dos palavrões. Percebi claramente que um deles gritava:

— Morubixaba Amaro Gil! Itaporanga te chama, morubixaba Amaro Gil! Itaporanga tem uma carta para ti! Vem, morubixaba!

— Naturalmente, comentou o fazendeiro, tal frase teria sido dita pelo índio. Só a um índio ocorreria a lembrança de me tratar de morubixaba, cacique ou tuxaua.

— Mas um índio desconhecido! – exclamou Manuel.

— Esquisito mesmo – concordou Amaro Gil.

O certo é que Marta não se enganara. Os dois devem ter dito muita coisa. Mas o que ela entendera era aquilo. Sabemos que, por volta de 1720 ou primeira metade do século dezoito, a língua dos índios ainda era viva em todo o Brasil. Os brasileiros, por necessidade da vida, eram bilíngues. Quase todos falavam tão bem o tupi quanto o português. Assim, embora se tratasse de pedaços de frases, Marta tinha certeza de haver compreendido as palavras daqueles dois, sem, todavia, poder determinar quem falou isso e quem falou aquilo.

Foi verdadeiramente um dia de desassossego em Vista Alegre. Os comentários, os mais desencontrados, foram levantados a respeito das pessoas envolvidas no fato e sobre o que motivou o crime. Nada de positivo, porém. Tudo no ar, eram apenas hipóteses.

Ao que parece, tudo está levando a crer que o índio Itaporanga viera a Vista Alegre para falar com Amaro Gil. Chegando altas horas da noite, pousou no engenho, à espera do amanhecer. Aí foi agredido, morto e roubado pelo desconhecido.

Removido o cadáver para uma das casas mais próximas, o capitão Amaro Gil fez com que um de seus empregados fosse à Vila de Guaratinguetá levar o fato ao conhecimento das autoridades.

E recomendou ao camarada:

– Vá até Cafundó. Como o criminoso fugiu nessa direção, é possível que se encontre por lá, disfarçado. Dê parte ao Sr. Frederico Betim.

Amaro Gil pensou corretamente. A fazenda do sargento-mor ficava no meio caminho da Vila, e, como Betim era considerado autoridade, convinha fazê-lo ciente do ocorrido.

A fazenda *Cafundó* situava-se entre Vista Alegre e Guaratinguetá, mas fora da estrada real. Assim, o camarada de Amaro Gil, tendo de passar pelo Cafundó, só chegaria a Guaratinguetá depois do meio-dia. Com isso, o assassino de Itaporanga ia ter tempo bastante para burlar a vigilância das autoridades. Se é que estas não tivessem sido coniventes com a execução do assassinado...

II
Visita rápida

A trágica cena, a que, involuntariamente, Marta assistira naquela manhã clara de maio, abalou-lhe profundamente o sistema nervoso. Não pela brutalidade do fato. Na fazenda já acontecera coisas semelhantes. Mas, para ela, tinha sido um sério aviso. Quantas vezes, saindo a passeio, Marta costumava andar pelos recantos mais desertos de Vista Alegre! No próprio engenho estivera várias vezes, comendo uma merenda, preparando anzóis, verificando as coisas... e sempre sozinha! É verdade que, às vezes, se fazia acompanhar de Tupã, o cachorro mais feroz da redondeza. Mas isso mesmo nem sempre.

Pensando nos perigos por que passou e tendo agora bem presente na memória, como uma imagem obsessiva, a cena macabra do engenho, ela recolheu-se a seu quarto, sentiu-se febril e teve dor de cabeça, náuseas e tonturas.

Mas a crise passou.

Uma tarde, uma dessas tardes calorentas, de sol tinindo na cabeça, de ar que treme no descampado, e em que nenhuma ave dá sinal de vida, a não ser a juriti nos silvedos, Marta saiu pelo pasto grande, a divagar. Havia por ali algumas árvores, sassafrases de copa espessa, como enormes chapéus-de-sol verdes abertos no campo.

Encostada a uma dessas árvores, estava empinada uma escada. Marta subiu. Ficou invisível. O sassafrás dá sombra e perfume, embriaga o olfato e acaricia a pele.

Com seus dezesseis anos feitos, Marta estava à espera do que dispusesse dela, sua mãe ou seu tio, conforme os hábitos da época. Não ousava adiantar-se às iniciativas dos seus. Mas, falando a verdade, ignorava ainda muita coisa da vida. Criada nesse ambiente de inocência e da beleza da roça, não sabia bem a razão por que os pombos se beijam no telhado ou por que as tanajuras alçam o voo todo ano, depois das primeiras chuvas de outubro. Comprazia-se em cultivar as flores, lidar com a criação, respirar, a plenos pulmões, o ar fresco e puro da manhã. Não obstante, à tarde, sob o cair do sol, ao contemplar o vermelhão do céu, havia um estranho palpitar em seu peito, certa ânsia do coração, um desejo indefinido – desejo de qualquer coisa sem nome, sem forma, como se vozes de longe a ela se dirigissem, chamando-a para um país distante.

Esse estado tomava vulto, fazia-se quase sofrimento, na presença de seu primo, mais velho do que ela, mas também, como ela, puro e inocente.

Visita rápida

Estando, pois, essa tarde, em seu palanque de verdura e de fragrância, ouviu um som característico que vinha da fazenda... Era um toque de buzina. Esperou segundo toque. Chamavam-na.

Havia, com efeito, sinais convencionais de buzina, para chamar as principais pessoas da casa, quando estivessem ausentes. Marta acabava de ouvir seu sinal. Desceu do sassafrás.

Nesse ponto, apareceu ofegante a cachorrinha do Manuel, a Moeda; logo este viria por ali, sem dúvida, ao encontro da prima. De fato, daí a pouco esbarravam um com o outro.

– Novidade, Manuel?
– Sabe quem chegou, Marta?
– Não sei não. Quem?
– *A cavaleira andante.*
– Não diga! Mamãe?
– Sim, tia Leonor.
– Sozinha?
– Não, a *escudeira* veio também.

A escudeira, na língua deles, era a escrava Catarina, mulata escura, que a maledicência pública apontava como filha natural do falecido Sebastião Gil, pai de Marta.

Criada carinhosamente por dona Leonor, essa mestiça tornara-se pessoa necessária junto de sua senhora. Corajosa, sabendo atirar muito bem, era companhia segura, nas pequenas viagens. Mas o que lhe assegurava uma superioridade inegável eram suas virtudes domésticas: fidelidade, reserva e pureza de costumes. E muita piedade; não piedade de tradição, insinuada por sua senhora ou imposta pelas circunstâncias, mas piedade sólida, radicada na convicção mais profunda. Havia mais: dona Leonor não sabia ler nem escrever. Vítima dos hábitos de então, que queriam analfabeta a mulher virtuosa, ela sentira a necessidade da instrução. Por isso mandara instruir a escrava predileta, e esta, muito inteligente, aprendera a ler, escrever e fazer contas com relativa perfeição.

Manuel Gil, ao dar a notícia à prima, não pudera compreender o motivo por que Marta permanecera fechada, de cabeça baixa, tristonha.

– Você perdeu o assunto, minha prima? Não gostou da notícia?

– Não.

– Por quê? Todas as vezes que tia Leonor nos vem visitar, você é a primeira a ir ao encontro dela, mostrando-se expansiva e satisfeita.

– É, mas desta vez eu pressinto que mamãe nos traz novidades desagradáveis. Meu coração costuma ser profeta.

– Qual nada! Expulse as ideias negras do pensamento... Tia Leonor vem fazer sua visita costumeira...

Visita rápida

— Hoje? Duvido. Mamãe não viaja em dia de sexta-feira. Se veio contra seus hábitos, é porque é viagem de urgência.

Quando os dois jovens entraram, dona Leonor os recebeu friamente, contrafeita e um tanto desapontada. Dir-se-ia que se envergonhava da missão que a levava a Vista Alegre.

— Deus abençoe! — disse em resposta ao pedido dos jovens e continuou a conversa com o capitão Amaro Gil e sua mulher.

— Não é possível, capitão.

— Não é possível, por quê? É da lei.

— Sim, mas a lei não tem urgência. A demarcação se fará mais tarde... quando eu e meu marido resolvermos casar a menina.

Marta descobriu que tratavam de sua pessoa. Para deixar a mãe à vontade, pediu licença e ia sair, quando dona Leonor ordenou:

— Não é segredo. Fique.

E voltando para o cunhado, explicou:

— O Frederico pretende unir a minha fazenda dos *Guarás* com a do *Cafundó*, sua propriedade. É intenção dele desenvolver uma grande criação de gado, logo após o nosso casamento. Não posso contrariá-lo. Nem devo. Se separarmos a parte de terras que Marta tem em comum comigo, é certo que ele ficaria muito irritado. Para que isso?

– Sim, de acordo – disse Amaro Gil –, mas poderíamos fazer a demarcação antes do casamento, e o sargento-mor pagaria arrendamento da parte de sua futura enteada.

– Seria possível, mas não há mais tempo. A partilha virá depois.

– Não há mais tempo por quê? – perguntou dona Madalena, mulher de Amaro Gil.

– Porque o casamento será depois de amanhã, domingo; e essa é uma das razões que me trouxeram aqui, para participar aos parentes...

– Quase na véspera, mamãe? – observou Marta.

– Vocês compreendem... Não haverá festa; por isso não há convites. Será tudo realizado na intimidade...

– Como convém a dois viúvos – ironizou Madalena.

– Justo! – confirmou Leonor, imperturbável.

– Ficará conosco hoje, tia Leonor? – perguntou Manuel Gil.

– Não, Manuel, torno aos Guarás. – E dirigindo-se à filha:

– Marta, eu e Frederico resolvemos que você irá morar agora com sua mãe.

– E papai concordou? – perguntou Manuel ao capitão.

– Concordou – respondeu dona Leonor, em vez de Amaro Gil, receosa de que o cunhado a desmentisse.

Marta olhou para o tio, como a inquirir dele uma explicação; Amaro Gil, abaixando os olhos, começou a coçar a barba, como costumava fazer nos momentos de perplexidade. Mas dona Leonor, percebendo o embaraço do capitão, voltou-se para Marta e explicou:

– Minha filha, compreenda: você veio para a companhia de seus tios quando seu pai partiu para o sertão, na bandeira de Bartolomeu Bueno de Siqueira. Era pequenina assim. Não se lembra. Como fiquei sozinha, e com muito encargo, concordei. Madalena foi uma verdadeira mãe para você... Mas agora volto a montar casa. Não é justo que continuemos a ser pesados aos parentes.

– Pesados, não! – interveio Amaro Gil, com veemência.

– Marta não é a alegria desta casa? – ajuntou Madalena.

– E estimada de todos – disse Manuel –, até os empregados e os estranhos lhe querem bem...

– Sim, meus amigos... Mas eu sou mãe... Adoro minha filha... Tenho mais direito do que ninguém a gozar de sua doce companhia...

– Se é este o motivo, dona Leonor – ajuntou Amaro Gil, não sem uma ponta de ironia –, você tem razão... Motivo justo, aliás; justíssimo... Mas não diga que a nossa idolatrada sobrinha nos tem sido um incômodo...

– E, como voltamos a morar juntas – completou Leonor, chegando aonde queria chegar –, nosso patrimônio pode continuar em comum... Não acha, Marta?

— Acho, mamãe — respondeu Marta, surpreendida por uma pergunta que não esperava.

— Depende — objetou dona Madalena.

— É isso mesmo — explicou Amaro Gil, completando o pensamento da esposa. — Marta concordará na comunhão do patrimônio enquanto não estiver sendo prejudicada em seus haveres.

— Naturalmente — reconheceu dona Leonor.

— Mas, querida tia — interveio Manuel —, Marta não está preparada para ir hoje.

— E quem disse que eu quero levá-la hoje? Só irá depois que eu já estiver no Cafundó, definitivamente instalada.

— Mamãe é quem sabe — acrescentou Marta, ao notar um olhar inquiridor de sua mãe.

— Leonor — interveio dona Madalena —, pelo que acabo de deduzir, é sua intenção mudar-se para o Cafundó.

— É, Madalena. A mulher casada deve seguir a vontade do marido. E Frederico prefere continuar no Cafundó.

— E que fará você do oratório e da imagem de Nossa Senhora da Conceição?

— O oratório ficará na fazenda dos Guarás, já que no Cafundó não há acomodação para ele. Quanto à imagenzinha de Nossa Senhora, pretendo levá-la comigo. É uma lembrança de meu primeiro marido. Pertenceu aos pais de Sebastião Gil e deve acompanhar a filha dele. Aonde Marta for, a imagem irá também.

– Está certo, Leonor. Assim, minha sobrinha estará sempre protegida pela Mãe de Deus e há de ser muito feliz, que é o que todos desta casa desejamos.

***

Leonor regressou para os Guarás nessa mesma tarde. O tempo estava que era uma beleza. Céu limpo, profundo. Ia anoitecer em breve, mas a lua era crescente, quase cheia. De mais a mais, Amaro Gil deu de presente à dona Leonor, para camarada, um dos mais corajosos escravos de sua senzala, o Ambrósio, corajoso e fiel.

III
A imagem milagrosa

Havia confiança e certeza de que as preces seriam atendidas. Os fiéis, diante da imagenzinha de Nossa Senhora da Conceição, no oratório da fazenda dos Guarás, experimentavam a beleza simples e maravilhosa da fé. Era uma imagem bela, artística e sugestiva; sua presença inspirava respeito e ternura, infundia desejos de virtude, encaminhava para o alto.

Todavia, a origem remota dessa pequenina escultura envolvia-se na penumbra do mistério. Supunham alguns que ela fora trazida ao Brasil por Dom Simão de Toledo Piza, que a recebera de presente de uns frades franciscanos, de Angra, na ilha dos Açores; outros sustentavam que ela já era venerada em São Paulo muito antes do domínio espanhol. Não poucos iam mais longe. Recuavam a antiguidade da santinha até Pedro Dias, irmão leigo jesuíta, que viera de Portugal em 1554 e trouxera a imagem consigo. Dispensado dos votos por Santo Inácio de Loyola, Pedro Dias casou-se duas vezes; em primeiras núpcias, com Terebé, filha do cacique Tibiriçá, e depois, em segundas núpcias, com Antonia Gomes, filha de Parente Dias Velho. Com licença do

Pe. Luís da Grã, teria conservado a imagem em sua casa e, ao morrer, tê-la-ia legado a seus descendentes, os Gil Côrtes de Siqueira. Tudo incerto. A tradição relativa à procedência e ao itinerário daquela pequena imagem pouco a pouco se perdeu nos inícios do Brasil Colônia e durante as várias mudanças do planalto de Piratininga para o Vale do Paraíba.

De positivo só havia a presença da imagem, desde tempos imemoriais, na fazenda dos Guarás. De positivo, havia isso e também a devoção do povo, porque da redondeza afluíam pessoas aflitas, doentes desesperados, pecadores de consciência ferida, e todos externavam gratidão, todos, mas todos, traziam ex-votos de cera, provas concretas de graças alcançadas.

O que mais encantava nesse culto rústico era seu cunho de ternura, sua espiritualidade sincera, afastada de influências supersticiosas.

Quando Leonor Portes del-Rei se casou com Frederico Betim e teve de transferir-se dos Guarás para o Cafundó, manifestou desejo de preparar em sua nova morada uma sala arejada e espaçosa que servisse de capelinha para a santa. Mas observou que o fato causava certo constrangimento ao marido e, em consequência, adiou a transladação da imagem.

Frederico Betim, descendente de protestantes luteranos alemães, era declaradamente ateu. E se gabava de sua incredulidade. Todavia, ou por convicção, ou por conveniência pessoal, tolerava que seus subalternos se dessem às práticas religiosas. Querendo liberdade para não crer em nada, convinha em que os outros tivessem liberdade para crer em alguma coisa. Não contrariava, pois, sua mulher em questão de culto. Além disso, estando casado de pouco, a boa política aconselhava-lhe reserva, tolerância e mesmo fingimento.

Mas entendeu de dar demonstração de contrariedade ante a intenção de dona Leonor, quando percebeu que ela estava querendo preparar uma capela interna. Por fim, hipócrita, mas inteligente, querendo justificar sua atitude, expôs seu ponto de vista com tanta arte que até ficou sendo considerado um benemérito da devoção.

– Dentro de casa, não – disse ele à esposa. – Não fica bem. Os roceiros virão fazer suas ações; muitos são doentes de moléstias pegajosas. Outros vêm com os pés sujos, cheios de lama. E não podemos proibi-los. Teremos de tolerá-los.

– E se estiverem em condições? – observou Leonor.

– Nunca. Eles são muito desconfiados. Porque você não manda construir uma capelinha naquele morro que se eleva majestoso do lado do poente, à direita da fazenda? Não ficaria mais de jeito? Parece mesmo que Deus o pôs ali para servir de pedestal da imagem da Mãe de Jesus!

– Magnífico! – exclamou dona Leonor, admirando a inteligência do marido.

Há alegrias que saturam. Polarizam da alma para o corpo; transluzem no olhar; dilatam o peito; são tão maciças que, no dizer do povo, "a gente não cabe em si, de contente".

Uma alegria dessas invadiu a alma da escrava Catarina, quando dona Leonor lhe comunicou:

– Você vai construir a capelinha. Tem os homens de que precisa e material também. Entenda-se com o feitor para marcar o local.

Pensando então em Frederico Betim, que era conhecido como ateu, Catarina murmurou:

– O diabo não é tão feio como se pinta. – E deu começo à obra.

Obteve, primeiro, o consentimento do vigário; depois, organizada uma lista, lançou aí os nomes dos fazendeiros amigos, aos quais foi solicitada uma esmola em dinheiro ou em material. A mão de obra ficou a cargo dos escravos da fazenda. Aplainado o terreno, surgiram os alicerces, levantaram-se as paredes, colocaram-se os tirantes, a cumeeira, os caibros e as ripas. Cobriu-se. Para a cumeeira houve foguetes, e os obreiros molharam a goela com uns tragos de aguardente.

E ainda sobrou dinheiro para comprar paramentos e fazer uma festinha religiosa no dia da inauguração.

A imagem milagrosa

Na execução de todos os seus planos, Catarina contou com a colaboração ativa de Marta. Para esta foi até providencial. Deixando Vista Alegre, para onde tinha ido com apenas quatro anos de idade, ela sofrera horrivelmente com a mudança inesperada. Chegando, porém, ao Cafundó, começou a auxiliar a escrava na construção da capela e com isso se foi libertando da saudade, ao menos temporariamente.

Quatro meses após o lançamento da pedra fundamental, a construção estava ultimada; a imagem foi, então, transferida dos Guarás para os domínios de Frederico Betim.

Houve Missa na bênção da igrejinha, comunhões e um terço cantado.

O padre Francisco de Araújo Meneses Viera, de Taubaté, pessoalmente convidado pelas duas moças, rezou a Missa, dirigiu a procissão e pregou.

A pregação foi simples, enfeitada de comparações e curta. Mas agradou imensamente. O orador enalteceu o culto de Maria Santíssima, elogiou o esforço de Catarina e Marta, referiu-se ao bom senso do sargento-mor e terminou:

> "A devoção a Maria, disse, garante nosso seguimento fiel a Jesus, que é o caminho para o Céu; mas está comprovado que nossa perseverança na fé tem muito a ver com a devoção a sua Mãe Santíssima. Se Jesus veio ao mundo por Maria, como podemos imaginar que estaremos sempre em comunhão com ele sem estarmos também em união com Maria? A pedagogia

divina não mudou. Foi assim e é assim. Quereis perseverar na fé católica, alimentai a devoção a Nossa Senhora. Quem está com Maria está com Cristo, seja nas bodas de Caná, seja ao pé da cruz; quer nas alegrias, quer nos sofrimentos.
O culto de Maria tem a idade da Igreja de Jesus Cristo. Um dia, quando Jesus pregava às multidões, uma piedosa mulher levantou a voz, bem alto para que todos a ouvissem, e disse para Jesus: 'Feliz o ventre que te gerou e felizes os seios que te amamentaram'. Irmãos! Essa mulher anônima dos Evangelhos representa a Igreja Católica. Essa mulher foi a primeira missionária da devoção a Maria. E aquela gente, para quem ela pregava, foi o primeiro elo de uma cadeia de gerações que irão até o fim do mundo, gerações de devotos às quais se referiu a própria Mãe de Jesus quando, em um entusiasmo profético, registrou a atitude dos fiéis de todos os tempos prostrados a seus pés. 'Eis que desde este momento todas as gerações me chamarão bem-aventurada.' Ora, quando a Igreja Católica exalta o nome de Maria e o propõe à veneração dos crentes, nada mais faz do que dar cumprimento à profecia da Mãe de Deus. O culto de Maria é inseparável do culto de Cristo, porque não se pode explicar a existência do Filho sem proclamar as excelências da Mãe.
Irmãos! Ao redor da imagem de Nossa Senhora da Conceição, eu vejo reunidas pessoas de todas as categorias sociais: ricos e pobres, senhores e escravos, velhos e crianças, instruídos e analfabetos. Todas essas pessoas, de cabeças descobertas, irmanadas em um ideal comum, acompanharam processionalmente o andor da Senhora, nestas ruas sem casas, por entre a vegetação, respirando este gostoso cheiro da roça. Que espetáculo comovedor! Esta imagem tem a predestinação de nivelar os espíritos, igualar as condições, unir as almas. É o estabelecimento da democracia de Cristo, da igualdade segundo o Evangelho.
E dias virão, meus irmãos – sinto que é o Divino Espírito Santo quem fala por meus lábios –, dias virão em que o Brasil inteiro repetirá, em ponto grande, a cerimônia esplendorosa a que assistimos neste momento: sábios e poderosos se verão misturados com humildes e pobrezinhos, em torno desta imagem milagrosa, como que antecipando a vida futura na qual todos serão igualmente felizes.
Pena foi que esta capelinha não tivesse sido construída em lugar mais acessível. A natureza aqui é carrancuda e agreste. Este local não tem água. Os caminhos são acidentados. Em compensação, que vista admirável! Que panorama soberbo! Vemos o Paraíba, lá embaixo, correndo mansamente; contemplamos a serra azul, empinada, como sentinela vigilante, no caminho do sertão. E, à direita, o vale espalmado, abrigo

A imagem milagrosa

dos pacíficos rebanhos; ao fundo, o solar majestoso do sargento-mor Frederico Betim, emoldurando a bela paisagem. Louvemos os esforços das duas piedosas donzelas, Catarina e Sinhazinha Marta, às quais se deve o levantamento desta igrejinha, dedicada à Virgem e Mãe. Por certo, Nossa Senhora é bastante rica e sobejamente boa para cobrir de bênçãos não só as duas mencionadas mocinhas senão também todos aqueles que, de qualquer modo, as auxiliaram. Rezemos, pois, uma Ave-Maria por intenção das pessoas que colaboraram nesta obra magnífica".

IV
Separação

Manuel Gil lembrava-se perfeitamente das primeiras impressões que tivera; lembrava-se das transformações que foi vendo ao redor de si e da mutação que se foi operando em seus sentimentos. A princípio recebera a prima com hostilidade; ela vinha para cá aumentar o número de seus irmãos, inutilmente? Achava-a desajeitada, magrinha, com uns olhinhos muito negros em contraste com os cabelos muito louros, quase sempre caídos negligentemente sobre os ombros.

Não compreendia por que seus pais dispensavam a essa intrusa mais carinho do que aos próprios filhos. Depois, Marta era uma menina voluntariosa, exigente. À toa, à toa, suspendia o beiço inferior, amuava, provocando ralhos de dona Madalena contra Manuel Gil e suas irmãs.

Vieram depois os brinquedos, as camaradagens. No espaçoso alpendre, sobretudo quando chovia, brincavam com muita algazarra. Ora de carro de bois, ora de cavalo de pau, ora de amarelinha. Às vezes, brincavam de comidinha; Manuel Gil e Marta eram marido e mulher, ficando os outros para compadres, comadres e filhos. Se brincavam de caçada, Marta era a onça, e Manuel Gil com os outros serviam de cachorros. Mas Manuel Gil era um cachorro muito estúpido; ao alcançar a onça, agarrava-a pelos cabelos e mordia-lhe de verdade os bracinhos claros e roliços. Marta protestava:

– Isso também, não!...

– Cale a boca! Onça não fala!

– Por isso é que não gosto que você seja cachorro; o Chico da Finoca e o Teodorinho são cachorros muito mais delicados: latem só, não mordem a gente.

Havia briga e acabava-se o brinquedo.

Não raro, Marta era quem promovia desordens. Manuel Gil armava arapucas no quintal, para apanhar juritis e sabiás. Marta pegava uns pintos no terreiro ou uma franga pequena e prendia-os na arapuca. O engano de Manuel Gil era certo, e ele danava-se com a prima, que ria gostosamente.

Em represália, o rapazinho ia aos brinquedos de Marta e bagunçava tudo, arrancava as pernas das bonecas, pintava os canecos. Verdadeira cena de vandalismo.

Quando não chovia, divertiam-se no quintal, ou no campo, ou à beira do rio. Se havia palha de arroz, as crianças brincavam de dar saltos mortais, em seguida e em vertiginosas carreiras. Marta juntava os vestidos entre as pernas e pulava muito mais longe do que Manuel. Este não gostava e, antes de Marta atingir o trampolim, advertia:

– Arredem que vai saltar a cabritinha branca.

Por causa desse apelido, e outros semelhantes, Marta embirrava com seus cabelos louros e ficava pesarosa.

Um dia Manoel Gil seguiu para São Paulo; mandaram-no estudar latim e matemáticas no Colégio dos Jesuítas. Houve choros em casa, quando ele partiu. Mas uma coisa que ele não pôde explicar foi a atitude de Marta: esta chorou muito mais sentidamente do que suas primas, as irmãs de Manuel Gil.

Depois, férias periódicas, quando voltavam alegrias; mas em seguida, novamente, prantos copiosos.

Mas a sucessão dos dias agiu sobre as pessoas e sobre a coisas. Mais sobre as pessoas. Porque a natureza é igual a si mesma, em cada ano, em cada estação do ano com as mesmas chuvas, com o mesmo frio, com as mesmas flores e os mesmos cantos dos passarinhos. As pessoas, não. Todo ano são um pouco diferentes do que eram há um ano.

Os cabelos de Marta escureceram um pouco. Manuel Gil tornou-se mais sisudo. Não brincava mais de caçada. Agora, suas caçadas eram reais, na selva virgem, nos brejos, nos cerros, procurando os guaraxains ou provocando os cães contra os canguçus arrepiados.

À tarde, as caçadas eram narradas em casa, no alpendre, com exageros e acréscimos. Manuel Gil dava corda a sua imaginação ardente e soltava a língua. Criava admiradores de sua bravura, real ou fantástica.

Foi ele quem primeiro notou o fato: Marta mudara a seu respeito; não o contradizia mais. Haviam vivido tantos anos em divergência, em caminhos desencontrados, a discutirem! Se ele citava Horácio ou Cícero, ela contrapunha opinião de Zé Congo ou do Ambrósio.

E ria a bom rir, o que muito desconcertava o convencido latinista.

Depois, correndo os anos, Marta tornou-se admiradora egoísta, admiradora exaltada de seu primo e via nele um sábio, um homem raro, diferente dos seres pequeninos que enxameavam em Vista Alegre. De uma feita, em um arroubo de entusiasmo, ela abraçou a cabeça de Manuel Gil e exclamou:

– Como é que cabe tanta coisa nesta cabecinha!...

***

Mas um dia Marta partiu para o Cafundó. Leonor Portes del-Rei, autoritária e "fazedeira" de castelos, viera buscá-la.

Todos choraram. Até os escravos choraram. Foi um dia de silêncio e de desaponto em Vista Alegre. Um dia pesado, longo, acabrunhante.

Separação

Manuel Gil nunca pudera imaginar que Marta lhe fizesse tanta falta. Ele sentiu um vazio no peito, e uns tiques nervosos que ameaçaram parar-lhe o coração, e um embrutecimento do espírito, estado mental novo que significava tédio da vida, desgosto.

A risada cristalina de Marta parecia um som de clarim, por toda parte, risada larga e satisfeita. A presença da moça enchia a sala, o alpendre, o curral, a fazenda inteira. E Marta não mais era vista, estava longe, muito longe!

A natureza despiu-se de encanto para Manuel Gil. Ele não se deteve mais ante o ramalhete das flores, não contemplou mais as copas das árvores, não atentou mais nos gorjeios dos pássaros.

Saía frequentemente pelos campos em busca de alívio ou de esquecimento. Mas achava o céu muito alto e irritantemente azul. E seu sentimento ante a satisfação geral das coisas era de asco, de nojo.

Às vezes, pensava em pôr-se a correr pelos campos, em uma carreira desabalada, por sobre os cupins e moitas; parecia-lhe que poderia ir até o cocuruto da serra, porque se sentia leve, vazio, vaporoso...

Teve vontade de morrer. Foi a primeira vez que experimentou esse desejo estranho; mas experimentou-o forte, avassalante, como uma obsessão. Achou a vida amarga, irreal, sem finalidade, sem atrativos, sem valor nenhum. E o que mais lhe agravava o peso do peito e a imbecilidade do espírito era a morosidade das horas; o vagar das coisas em se moverem; a imobilidade do tempo. Queria ficar velho já de um salto, passar, voltar ao pó, ser esquecido na memória dos contemporâneos, como esses homens que existiram há milênios, dos quais não resta mais nem o nome, nem a cinza. E o tempo não passava em torno dele! Duravam como séculos as horas que iam do levantar ao almoço e do meio dia à tarde. E as horas de insônia na cama durante a noite, ou de cisma, pelas sombras dos arvoredos, ao clarão da lua, uma eternidade – longas – como uma eternidade!

O amor, entre os homens, não passa de um culto fetichista. Guardar um objeto que pertenceu à pessoa amada – um lenço, uma pétala, uma carta ou um objeto que fez parte do ser dessa pessoa e que foi originado de seu sangue, como um cacho de cabelos – que é isso senão uma religião supersticiosa, o culto de um fluido impresso nas coisas brutas e sem vida? E o amoroso contempla tudo isso, extasiado e estático, como um crente na presença de seu deus ou da representação material desse deus.

Manuel Gil experimentou essa espécie de superstição naturista. Agarrou-se aos objetos que tinham pertencido a Marta; percorreu os lugares que ela costumava frequentar: os quartos, os campos, as fontes, os outeiros da fazenda. Acreditou que esses objetos e esses lugares estavam impregnados da presença de sua prima. Pareceu ver-lhe a sombra invisível assentada nos galhos das árvores ou caminhando silenciosa na casa deserta... Pareceu ouvir-lhe a voz, clara e quente, soar nas quebradas dos caminhos ou nos ângulos do curral...

E então, desejando ver ou tocar a realidade concreta – Marta, com suas formas elegantes, seus olhos escuros e sua cabeleira dourada; Marta concreta e real –, feriu-lhe o coração flecha aguda e voraz, aquela dor estranha, expressa nestes versos de um poeta:

> "Não sei se meu irmão terá sentido na vida
> a punhalada de uma despedida...
> ou se as fibras de sua alma já estalaram,
> tinindo em dor e crispação
> na síncope final de uma separação..."

E o tresloucado rapaz, percorrendo os bosques confidentes e as ribeiras do rio, sentia ver a prima em sua frente e gritava para as barrancas:

– Marta!... Marta!...

Ou cochichava para as relvas:

– Marta...

Muito tempo depois, quem se transportasse para essas paragens ainda haveria de encontrar um nome de mulher gravado nas cascas das árvores e esculpido nas traves das porteiras, à ponta de canivete... Vestígio de alguém que passou por aí, sonhando; alguém que tinha o coração transbordando de afeto e que foi derramando esse afeto pelos caminhos e materializando-o nos troncos das árvores, como costumavam fazer os pastores do poeta Virgílio, às margens do rio Míncio, nos tempos de antigamente.

***

Um dia, assentado no cocho do curral e olhando vagamente o céu com olhos apagados, quase sem função, Manuel Gil sentiu uma quentura percorrer-lhe as faces: pôs as mãos, eram lágrimas.

Foi a primeira vez que chorou depois de moço. E chorou convulsamente, lançado em uma crise nervosa, aguda, e como sacudido pela descarga elétrica do desespero. Era o sintoma de um violento sofrimento moral.

Depois, entrando para a varanda, viu uma buzina dependurada em um cabide e lembrou-se de que Marta, quando estava ausente, nunca deixou de atender a seu sinal, convencionado entre ela e as pessoas da casa.

E Manuel Gil voltou ao alpendre e começou a buzinar o chamado de Marta, olhando para os caminhos compridos que se perdiam ao longe.

Foi quando o capitão Amaro Gil apareceu.

– Que fazes aí, meu filho? – Perguntou ele quase chorando.

– Ela vai aparecer, meu pai. Olhe...

E chamou de novo com o toque da buzina.

De fato, nesse momento, uma poeira se levantava ao longe, no vergedo, denunciando aproximar de cavaleiros.

– Meu filho – disse Amaro Gil –, não convém que estejas a cultivar uma dor inútil, uma dor sem merecimento para este mundo ou para o outro... Consola-te. Nós temos de ir ao Cafundó brevemente. Tua mãe vai cumprir a promessa que deve a Nossa Senhora da Conceição, dos Guarás... E veremos de novo a cabritinha branca...

– Marta... Marta... murmurou o moço, distraído, vago, em um estado de ausência que parecia com a loucura.

V
O voto da escrava

Catarina ocupava quarto próprio, nos fundos da casa grande da fazenda. Escrava de distinção, nunca fora obrigada a dormir na senzala, na promiscuidade das negras comuns.

Naquela tarde fatídica – uma tarde macia, de céu limpíssimo –, tinha ela acabado a tarefa que lhe fora imposta e estava de joelhos ao pé da cama, rezando, quando ouviu o ranger da porta, atrás de si.

Olhou. Era o sargento-mor. Frederico Betim, pondo acentos gordurosos no falar, mandou que ela se assentasse, e, assentando-se também em um tamborete que viu junto do leito, não quis declarar o motivo a que vinha. Fez-se misterioso.

– Moleca – disse –, quero que vosmecê seja franca comigo. Ildefonso já veio aqui?

– Aqui nunca entrou homem – respondeu a escrava em alta voz.

– Ah! – continuou Frederico Betim, corrigindo-se. – Não era isso que eu queria saber. Era a respeito de dona Leonor. Diga: sua senhora é mulher séria?

– Muito me admira, sinhô, que vosmecê tenha tido a coragem de casar com uma mulher de quem duvida e na qual não deposita inteira confiança...

– Sim, mas faz tantos anos que ela faz vida de viúva...

– Que tem isso? O sentimento de honra, ajudado pela devoção...

– E vosmecê não me viu, alguma vez, entrar na fazenda dos Guarás, alta noite?

– Infâmia! – protestou Catarina e continuou. – Sinhá moça é de raça nobre, virtuosa, incapaz de um ato desonesto...

Desapontado, Betim deu outro rumo à conversa:

– E vosmecê? – perguntou ele. – Não quer casar?

– Eu? Engraçado! Vosmecê é o primeiro branco que pergunta a uma escrava se ela quer casar!

– Que há nisso de estranho?

– Os escravos são "ajuntados", "acasalados", como animais, em uma cerimônia grotesca a que seus senhores dão o pomposo nome de casamento.

– É isso mesmo, Catarina. E eu já lhe arranjei marido: um negro possante, da Guiné, puro sangue...

– Mas enganou-se, Sr. sargento-mor, porque eu não me caso. Pode guardar seu negro puro sangue, natural da Guiné. O casamento entre escravos é como a união dos irracionais no pasto, um meio fácil de enriquecer os brancos.

— É a sina de vosmecês, negrinha letrada — afirmou Betim, extremamente ferido em seu amor próprio.

— E, por ser essa nossa sina, meu sinhô, não quero contribuir para aumentar o número dos desgraçados. De mim ninguém dirá jamais que ajudei a perpetuar a raça maldita dos descendentes de Cam.

— E então? — rugiu Frederico Betim, indignado com o discursar firme e fluente da escrava. — Seu fim é o de todas...

— Não é, não! Fiz voto de virgindade, há um ano precisamente. Diante da imagem milagrosa de Nossa Senhora da Conceição, no dia da bênção da capelinha, ofereci-me a Deus em sacrifício para que ele, um dia, tenha piedade da raça preta, da raça maldita...

— Fez voto? E com licença de quem, negrinha? Escravo tem vontade?

— Obtive o consentimento de sinhá Leonor Portes del-Rei, sucessora de Sebastião Gil de Siqueira, meu senhor... E Nossa Senhora aceitou meu voto, Sr. sargento-mor Betim!

Havia uma expressão de insulto ou de ironia no tom com que Catarina proferiu as últimas palavras.

Frederico Betim, furioso e eriçado, levantou-se precipitadamente do tamborete tosco em que se assentara... Avançou para a escrava e, mostrando nos olhos um brilho chamejante, observou:

– Sua sinhá devia saber que nós nos casamos no regime de comunhão de bens. O que é dela é meu. Portanto, eu sou dono das escravas de dona Leonor...

– Dono do serviço braçal dessas escravas – atalhou Catarina –, mas não de suas pessoas, muito menos de suas almas.

– De suas pessoas, sim, mulata sem raça... dono absoluto.

– Dono, em termos, sinhô branco. Quanto a mim, ninguém tem o direito de me separar de Deus... Eu pertenço, de corpo e alma, à Virgem Nossa Senhora.

– O quê? – bradou o sargento-mor, avançando sempre para a escrava.

Realmente, a intenção malévola de Frederico Betim era manifesta. Mas Catarina, desenvolvendo força superior a sua idade e a seu sexo, conseguiu afastar com um empurrão seu mal-intencionado interlocutor e, pondo-se de pé, murmurou:

– Velho desmiolado!...

Nesse momento, uma ideia esquisita, forte e rápida como um relâmpago, riscou nas profundezas do cérebro da bela escrava. Vendo-se ameaçada, escapa, e temerosa de ser tolhida em seus movimentos, Catarina correu em direção da janela e soltou um grito agudo, confiado, como de quem pede socorro:

– Sotero!...

Frederico Betim nunca tinha ouvido esse nome... Julgou que fosse algum guarda-costas do antigo senhor de Catarina, algum cabra truculento, encarregado de velar pela integridade da moça... Imaginou que esse estranho personagem vinha entrando já pela porta adentro... Sentiu ou pareceu sentir uma lâmina fria penetrar-lhe o peito... ou uma afiada machadinha partir-lhe o crânio...

Pálido de susto, Frederico Betim saiu do quarto e mandou um assobio na direção da senzala. Daí a pouco, surgiu o feitor, no tope da escada.

– Às ordens, Sr. sargento-mor – disse ele, prestimoso.

Betim, espumando pelos cantos da boca e trêmulo de cansaço ou de furor, apontou para o quarto de Catarina:

– Tronco! A noite toda!

– Simples? – perguntou o feitor, com calma e cinismo.

– Sortido!... Junte três chibatadas de duas em duas horas.

Tendo lavrado a sentença, que era quase uma sentença de morte, Frederico Betim ia sair, quando se lembrou de que não costumava dar-se por vencido em frente de uma peça vil e barata. Voltou-se, pois, para o feitor e ordenou misterioso:

– Mas veja, Sr. Venceslau: Que ninguém faça mal à escrava! Ninguém!

O algoz pareceu pedir confirmação da ordem, encarando inteligentemente o patrão.
– Ninguém! – repetiu o endemoninhado.
E saiu.
Frederico Betim, ao dar essa última ordem, pensava naturalmente em Ildefonso Betim, seu filho. Ildefonso, no pendor para a desonestidade, saíra igual ao pai e tinha, a agravar-lhe as más inclinações, a exuberância de seus vinte e cinco anos. Viviam sob o impulso do instinto bravio e desenfreado. Para esses homens furiosos, o escravo era considerado uma coisa, destinada a toda espécie de transação, assim como à satisfação dos desejos mais vis.
Um dos péssimos efeitos da escravatura entre nós foi, não há dúvida, a mistura de sangue africano e sangue europeu, praticada com transgressão das leis de Deus, em afronta ao brio e à honra das esposas e filhas legítimas. A decadência do caráter manifestada na vida pública e particular prende-se, pois, à instituição maldita.
Do alpendre da fazenda, para onde se dirigira, Frederico Betim podia ouvir os gritos e gemidos de Catarina, aflitos e desesperados, vindos do porão da casa. É que sofria horrivelmente, angustiadamente.
Os escravos faziam treinos, desde crianças, para toda sorte de sofrimentos físicos e morais. No tronco, as mãos e os pés eram presos em um madeiro, ficando

o corpo obrigado a uma posição encurvada, ao máximo que a coluna vertebral pudesse suportar. E havia argolas de ferro para comprimir a cabeça; molas para esmagar os dedos; estiletes para perfurar o sabugo das unhas; não se falando nas palmatórias, com furos e saliências de ferro. Os animais irracionais – cães e cavalos – nunca foram submetidos a semelhantes torturas, em país nenhum do mundo.

E os sofrimentos morais? Honra, piedade, dignidade, altivez, nada disso se permitia a um escravo. O próprio amor materno ou paterno sofria golpes profundos, porque, frequentemente, um pai ou uma mãe eram vendidos, separadamente, pelo senhor, e o pai separava-se do filho, e o esposo separava-se da esposa, e nunca mais os desgraçados tinham notícias dos entes queridos que ficavam. Era uma separação pior, mas muito pior, do que a morte.

E suportavam tudo isso, ora na mais resignada submissão, ora demonstrando uma revolta íntima, profunda, e um ódio satânico ao branco.

Catarina, porém, não tinha o treino do sofrimento. Não estava acostumada aos golpes morais, nem tinha o corpo calejado pelas torturas físicas. No solar de Sebastião Gil de Siqueira, o tratamento que se dava aos poucos escravos existentes era cristão e humano. Catarina, então, essa fora sempre tida como filha.

Pelo visto, os tratos a que o tarado sargento-mor submetera a delicada escrava causaram sobre ela uma devastação total. Nem podia deixar de ser assim.

Todo esse episódio se passou na ausência de dona Leonor Portes del-Rei que, de acordo com o marido, tinha ido a Guaratinguetá, para tratar de interesses do casal.

Vendo-se, pois, desamparada e temendo novas ameaças a sua pessoa e novos castigos físicos, uso no Cafundó, Catarina volveu o olhar na direção da capelinha de Nossa Senhora e, confiante, exclamou:

– Valei-me, Virgem gloriosa e bendita! Prefiro morrer neste tronco a transgredir meu voto.

VI
Desavenças

A poeira, que se levantava na estrada e era vista do alpendre da fazenda de Vista Alegre, chamou atenção do capitão Amaro Gil, que conversava com o filho.

– São dois cavaleiros, mas não dá para saber quem é – observou o capitão.

Em pouco tempo as pessoas foram-se tornando conhecidas: eram Frederico Betim e um de seus capatazes. Mas o fazendeiro, para conservar sua superioridade, preferiu supor que o sargento-mor e seu camarada não vinham visitá-lo e, sim, estariam viajando para Taubaté.

Entrou para a sala de espera, intencionalmente alheio ao inesperado acontecimento.

Frederico Betim apeou antes de chamar. Era a praxe de então. Ninguém daria o *"oh de casa"* ou conversaria com um pedestre, permanecendo a cavalo. Seria arriscar ser tido como inimigo e receber um tiro na cabeça.

– Sr. capitão Amaro Gil Côrtes de Siqueira! – gritou Frederico Betim, depois de apear.

Assomando ao alpendre e simulando surpresa, Amaro Gil respondeu:

– Sr. sargento-mor! Mas que honra! – Amaro Gil desceu e foi cumprimentar o hóspede.

– Há quanto tempo, capitão Amaro Gil! – observou Frederico Betim, com amabilidade. – Dez anos? Ou mais?

– Desde São Paulo, não?

– É verdade, capitão. Desde São Paulo.

Bem diz o provérbio árabe: "As montanhas não se encontram nunca, mas dois homens um dia se encontram".

E apresentando o capataz:

– Meu homem de confiança, Antenor Silva de Santana. É pau de toda obra.

– Prazer – falou Amaro Gil, apertando a mão do capataz e fixando-o com o olhar.

Entraram. Para as visitas de categoria, dona Madalena mandava abrir a grande sala, de cujo fundo se via o oratório da família aberto na parede.

– Não quis trazer a Leonor? – perguntou dona Madalena.

– Quereria, dona Madalena – volveu Betim –, mas vim fazendo voltas, comprando porco, como lá dizem.

– A propósito, Sr. sargento-mor – continuou Madalena –, é verdade que nasceu uma fonte de água cristalina junto da capelinha de Nossa Senhora, dias depois da bênção?

– Sim, de fato. Mas até aqui já chegou a notícia?

– Milagre, não? – observou Amaro Gil, dirigindo-se a Betim.

– Vosmecês acreditam em milagres? Eu não acredito. Ainda mais tratando-se de uma nascente, fenômeno natural e explicável. Certamente havia um lençol de água no subsolo do monte, e a água brotou. Tinha de brotar.

– Esquisito!... – objetou dona Madalena – Esquisito deveras. Estava ali esse lençol de água desde o princípio do mundo e só agora é que se lembrou de despejar um olho no declive do morro... Só agora, depois que construíram uma capela a Nossa Senhora da Conceição dos Guarás... Esquisito, não é?

– A natureza é, de fato, muito caprichosa, dona Madalena – sentenciou Frederico Betim, sem se dar por achado.

A um olhar de Amaro Gil, dona Madalena e Manoel Gil pediram licença e saíram da sala. Aproximava-se a hora do jantar e era preciso reforçá-lo, por causa dos visitantes.

Frederico Betim, então, voltando-se para o capitão Amaro Gil, perguntou, com a voz grave e pausada:

– Pelo sim, pelo não, o capitão estendeu a cerca no Alto das Seriemas?

– Estendi – respondeu Amaro Gil, sem pestanejar.

– E está bem certo, capitão, de haver marcado mourões bem firmes?

– Certo, estou, Sr. sargento-mor. Mas não quero dizer com isto que haja defendido minha propriedade... Os tapumes e as portas foram inventadas para gente de bem. Para ladrões não valem cercas, nem valados, nem porteiras trancadas.

Frederico Betim mordeu os beiços, interpretando as palavras de Amaro Gil como um insulto a si, uma espécie de indireta propositada. Era preciso, porém, dissimular. E ele sabia o porquê. Assim, acariciando os longos bigodes, continuou:

– Se falei em fecho, Sr. capitão Amaro Gil, não foi com o intuito de magoar Vossa Senhoria. Foi porque o motivo que me traz a sua presença é justamente uma questão de divisa...

– Com algum vizinho, meu amigo? – interrompeu Amaro Gil, já bastante senhor do assunto.

– Com Vossa Senhoria – respondeu o sargento-mor, olhando fixo para seu interlocutor, com estudada atenção.

– Há engano, disse Amaro Gil. Sim, deve haver engano de sua parte, Sr. sargento-mor. Não existe nenhuma dúvida, nenhum capítulo de litígio relativamente a minhas propriedades... Não será com os vizinhos da banda de lá?

— Não, é mesmo da banda de cá. É com as terras de Vista Alegre.

— Diga-me uma coisa, Sr. sargento-mor — aventou Amaro Gil. — Vossa Senhoria já leu as escrituras todas relativas a Vista Alegre e aos Guarás? Já leu o testamento de Baltazar do Rego Barbosa, genro de Brás Teves Leme? Leu as cartas de Sesmaria?

— Li alguma coisa, capitão — respondeu Frederico Betim, sem firmeza na voz... — Mas as escrituras estão muito apagadas; a pontuação é infame. Meu caminho é outro. Eu me guio pela escritura de compra e venda, e nessa escritura ...

— Já sei — atalhou Amaro Gil, com ironia ferina —, já sei: pela sua escritura de compra e venda, a divisa de sua fazenda dos Guarás vem até perto do meu curral...

— Não é perto — volveu Frederico Betim, ferido em seu amor próprio —, minha divisa vem até a porteira de seu curral, Sr. capitão Amaro Gil!

— Calma, sargento-mor! — aconselhou Amaro Gil. — Vossa Senhoria parece irritado; mas quem tem razão não se irrita...

— Minha divisa é na vargem, reza a escritura.

— Mas a vargem de cá ou a de lá? O Alto das Seriemas fica entre as duas; se a vargem de cá lhe pertence, o Morro das Seriemas não é meu, porque fica além da primeira vargem. Mas a primeira escritura cita, nominalmente, esse morro, fala em um jequitibá, nomeia uma pedra preta. São esses os marcos de minhas terras do lado dos Guarás. Aliás, nunca foi necessário fazer fecho por ali, porque meu falecido irmão, Sebastião Gil, era homem cordato e nunca falou em fecho...

– Isso era com seu irmão. Os Guarás agora me pertencem... e nós devemos acertar a confrontação...

– Hoje mesmo, se quiser, Sr. sargento-mor Betim... Hoje, não. É tarde já. Mas Vossa Senhoria pernoita aqui em Vista Alegre, e, amanhã cedo, ao romper do sol, iremos os dois juntos...

– Sr. capitão Amaro Gil – falou Betim, engrossando a voz –, não devemos ir lá desacompanhados; temos de marcar uma divisa, estender uma cerca, e isso demanda braços... Cada qual deve levar seus homens...

– E suas garantias – emendou Amaro Gil, apontando para uma carabina que se encontrava, casualmente, no canto da sala.

Frederico Betim sorriu... Estava satisfeito, pois Amaro Gil havia penetrado em seu pensamento.

– Justo! – disse ele. – Nossas garantias, nossas escrituras; o capitão compreende que não posso perder mais de três léguas quadradas de terras férteis. Isso me faria falta. É que eu sou ainda principiante, sou um homem pobre.

– Pobre era eu – volveu Amaro Gil –, e o que tenho não veio parar em minhas mãos por vias de casamentos interesseiros. Madalena Caetano de Menezes trouxe apenas seu dote; a prosperidade me veio pelo trabalho honesto e diuturno.

Frederico Betim ia retrucar com um insulto esmagante. Mas, nesse momento, precisamente, dona Madalena apontou na sala.

– O jantar está servido! – disse ela, com amabilidade.

Surpreendido pela presença da fazendeira, Betim se conteve e pôs-se a pensar na resposta, atrás de uma mentira plausível e delicada, quando o capataz interveio:

– Já jantamos, dona.

– Onde? – perguntou dona Madalena, percebendo a mentira.

– Trouxemos matula bastante, apeamos na bica da porteira e estamos jantados...

– Então...

– Então – emendou Betim, cortando a frase de Madalena –, então eu peço licença para retirar-me...

– Não, Sr. sargento-mor – interveio Amaro Gil. – Vossa Senhoria não se retira antes de combinarmos o dia de nosso encontro no Alto das Seriemas...

– Perdão, Sr. Amaro Gil, estou seguindo viagem... Não sei quantos dias estarei em Taubaté... Quando voltar, mandarei aviso...

Aparecida

– Não gostaria de passar por aqui na volta? – perguntou dona Madalena. – Poderia vir almoçar com a gente...

– Obrigado, Senhora, muito obrigado; não gosto de assumir compromissos...

Houve uns cumprimentos frios de parte a parte. Antenor Silva manteve-se reservado o tempo todo; reservado contra seus hábitos, pois era homem que falava desembaraçadamente, dando por paus e por pedras, gesticulando, cuspindo, estropiando a gramática.

Frederico Betim desceu a escada do alpendre, em direção ao curral, calado. Mas Antenor Silva lhe soprou umas palavras, em voz baixa, a modo de lembrete. Então ele, batendo com a mão na testa:

– Ah! É verdade! Ia-me esquecendo.

Amaro Gil percebeu que a conversa não estava terminada e, vendo o Ambrósio encostado no parapeito do alpendre, ordenou:

– Vá dizer que jantarei depois; façam um prato para mim e deixem no fogão, para não esfriar. Dê o recado e volte.

O negro obedeceu.

– É verdade, capitão Amaro Gil, ia-me esquecendo. Há meses foi assassinado um índio dentro de sua propriedade...

– Dentro de meu engenho de açúcar. E disso dei parte às autoridades para que investigassem, inquirissem. Mesmo ao sargento-mor ...

– Não é exato... Não recebi comunicado nenhum...
– Como sabe, então, do ocorrido?
– Sei até o nome do índio: chamava-se Itaporanga.
– O sargento-mor tem boas fontes de informação, observou Amaro Gil, com ironia, e rabeando o olhar para o lado de Antenor, o capataz.
– Tenho. E, por isso, toquei nesse assunto. Foi no interesse de Vossa Senhoria...
– No meu interesse? – perguntou Amaro Gil, admirado de não perceber de pronto a intenção do sargento-mor.
– Sim, porque há suspeitas em torno de sua pessoa.

Amaro Gil desferiu uma gargalhada clara e sonora, que perturbou a serenidade de seu informante. E explicou-se:

– Interessante! Todos os dias estão-se assassinando cristãos nos domínios do sargento-mor. Matam-se índios, negros e brancos... E ninguém se lembrou ainda de suspeitar de Vossa Senhoria pelo fato de o crime ter lugar dentro de suas terras...
– Porque não há motivo para suspeitas, capitão.
– Ora, Sr. sargento-mor, pode dizer na Vila de Guaratinguetá, ou em qualquer lugar, que eu nada temo... Autor do crime é aquele a quem o crime interessa...
– Justamente, capitão, e, por isso, o nome de Vossa Senhoria é citado. Julgou-se que Vossa Senhoria seria

interessado... É que, na antevéspera do crime, Itaporanga foi visto na Vila de Guaratinguetá. Nessa ocasião ele disse a várias pessoas que vinha a Vista Alegre... Disse mais, que trazia uma carta para Vossa Senhoria, e isto, e aquilo. Vai senão quando, justamente nas terras de Vossa Senhoria, é assassinado a punhaladas...

– De fato – disse Amaro Gil, pensativo –, o caso envolve mistério. Mas a verdade sempre aparece... Nossa Senhora da Conceição dos Guarás é minha madrinha de batismo, e eu não tenho medo da calúnia, porque minha Madrinha me protege... Nunca me desamparou...

– Capitão – falou ainda o sargento-mor, pausadamente, calculando o efeito de suas palavras –, nós somos amigos, e eu tenho defendido sua reputação...

– Devo agradecer-lhe tanta bondade, mas eu preferia que não me defendesse. Tenho desafetos por aí... Os homens honestos sempre têm inimigos... E até é bom sinal... Não se atiram pedradas nas árvores sem frutas... Quanto a Vossa Senhoria, Sr. sargento-mor, sua prova de amizade me comove e obriga. E, se somos amigos, como Vossa Senhoria acaba de confessar, tanto melhor: não haveremos de brigar por causa de tapumes...

– Justo, e, por isso, eu adverti severamente meus negros. Imagine Vossa Senhoria o que eles fizeram...

– O que, Sr. sargento-mor?

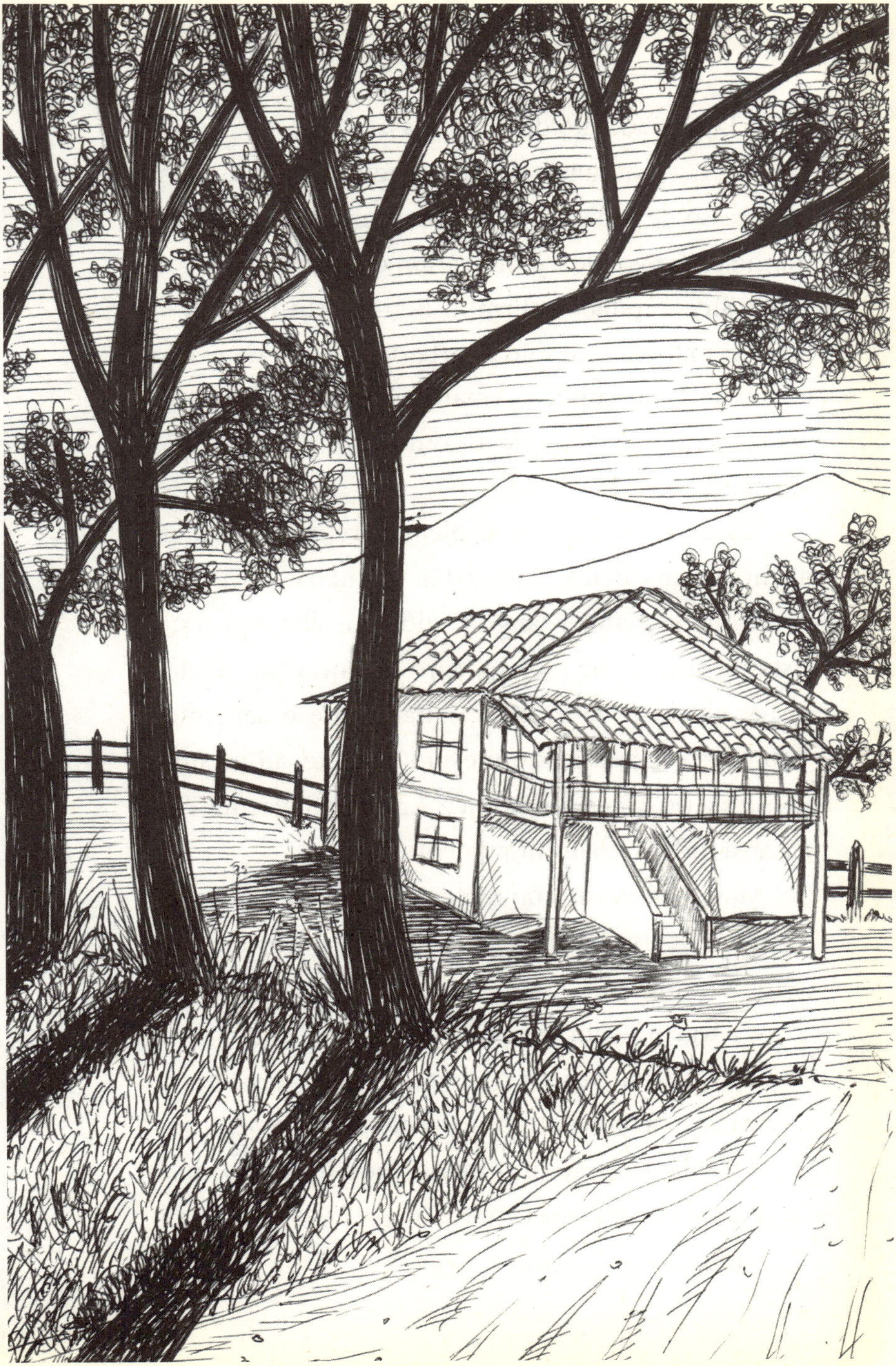

– Foram ao Alto das Seriemas...

– E derrubaram a cerca? – rugiu Amaro Gil, em um acesso de indignação. – Vossos negros invadiram minha propriedade e danificaram o tapume?

– Sim, capitão – afirmou Betim, sem titubear. – Foi um mal-entendido da parte deles... um equívoco lamentável, Sr. capitão Amaro Gil; mas espero que Vossa Senhoria deixe ficar como está... até que nós acertemos a divisa.

Ante a confissão da insolência, repetida com cinismo e com cálculo, Amaro Gil sentiu o coração disparar-lhe no peito; o sangue esquentou-lhe as faces; a vista tornou-se-lhe incerta, apresentando-lhe objetos embaralhados. Esteve para saltar sobre o sargento--mor e estrangulá-lo, no mesmo instante, ali mesmo, apesar da presença do jagunço Antenor Silva, que observava todos os seus movimentos.

Mas conteve-se, como a consultar o pensamento revolto. Por fim, mordendo os grandes bigodes, que tremiam, rugiu:

– Sargento-mor Frederico Betim de Rodovalho! Pois que Vossa Senhoria confessa que seus negros agiram em virtude de um mal-entendido, espero que Vossa Senhoria desfaça o mal-entendido e isso imediatamente, como é de direito!

– Mas, se...

– Cale-se. Betim! Dou-lhe um prazo, tão longo quanto queira, para repor a cerca... Um mês... Dois, no máximo... Mas quero a cerca no lugar... Só depois disso é que poderemos tratar da questão juridicamente.
– Amaro Gil! – vociferou Betim. – Pese suas palavras! Vossa Senhoria sabe quem é o sargento-mor Frederico Betim de Rodovalho?
– Um aventureiro! Um salafrário! Ou pior ainda! – bradou Amaro Gil, com exaltação e nervosismo.

Os dois levaram as mãos, instintivamente, à cinta. Um deles, crispando de raiva, já estava pronto para pegar seu punhal.

Antenor olhou para o patrão, calmamente. Julgou ser o momento de pular na goela do capitão. Mas já o terreiro se enchera de camaradas... E Antenor Silva, juntamente com seu patrão, não estava acostumado a agir quando estivesse em minoria.

Manuel Gil e o truculento Ambrósio vigiavam, atentamente, os gestos do capataz.

– Não haja confusão – disse Frederico Betim, montando no cavalo –, não haja confusão entre nós. Resolveremos a questão pa-ci-fi-ca-men-te, em ocasião mais oportuna.

E arrastou a pronúncia das palavras, com intenção.

Os dois cavaleiros esporearam as mulas e largaram as rédeas, subindo a encosta. Vendo que Frederico Betim tomava o rumo de Taubaté, Amaro Gil sugeriu-lhe, voltando à calma habitual:

— Não deixe de ler o testamento de Baltazar do Rego Barbosa, no cartório do Raimundo da Silva, hein, seu Betim!

Depois, levantando mais a voz para que o sargento-mor e seu capataz lha ouvissem, ordenou:

— Ambrósio! Previna seus homens e prepare os trabucos... Tenha as pederneiras bem polidas... Vamos ter um arranca-rabos brevemente... E dos bons!

A seguir, notando a presença de Manuel Gil, acrescentou, baixando a voz:

— Já não iremos à fazenda do Cafundó para sua mãe cumprir a promessa que deve a Nossa Senhora da Conceição... Aquele casamento foi um desastre... Leonor foi uma trouxa... A imagenzinha de Nossa Senhora não devia ir para os domínios do Betim, um herege, um ateu chapado.

— Aquilo não é gente, papai – disse Manuel Gil.

— Justo, meu filho! Aquilo é um jumento!

VII
O testamento

Quando dona Leonor voltou de Guaratinguetá soube o que tinha acontecido com sua escrava na véspera. Soube por alto, porque o próprio feitor ignorava os motivos dos castigos infringidos a Catarina.

– Como é, então, seu bruto, que vosmecê procede assim, com uma criaturinha que prezo tanto?

– Minha senhora – respondeu friamente Venceslau –, minha profissão é esta. O algoz executa ordens, mete a ferro, ata o braço, ou desce o cutelo, sem indagar se o juiz tem ou não razão. É seu ofício.

Dona Leonor mandou suspender o castigo. Quando desatarraxaram as argolas, a moça caiu por terra, encurvada, sem movimentos. Tinha as costas riscadas de vergões de alto a baixo. Impossibilitada de andar, foi carregada para o leito.

Leonor Portes e sua filha Marta choraram sentidamente, vendo o estado deplorável de Catarina. Marta pôs esta questão:

– Mamãe, os negros têm alma?

Leonor desconversou, pois a pergunta importava censura ao procedimento do marido.

Assim que a escrava melhorou, Leonor foi ter com ela e, sem mais preâmbulos, procurou entrar no conhecimento da verdade:

– Já sei, Catarina. Frederico ia cometendo um desatino.

Catarina contou tudo. A entrada sorrateira do sinhô em seu quarto, as desconfianças maldosas quanto à honra da esposa, o atrevimento final... As razões da tortura...

– Mas se não existe nenhum *Sotero* – perguntou Leonor –, que ideia foi a sua de apelar para esse personagem fantástico?

– Nem eu mesma sei explicar, sinhá – respondeu a escrava. – Mas vejo nisto a proteção de Nossa Senhora da Capelinha.

– Não compreendo.

– Proteção evidente. De fato, quando Frederico Betim entrou furtivamente em meu aposento, pude ler sua intenção no tom de voz, no olhar, nos gestos. E voltei-me para Nossa Senhora, em meu íntimo, pedindo a ela que me valesse. Na verdade, eu estava disposta a antes morrer que pecar. No momento máximo do perigo, tive a convicção firme de que Nossa Senhora não deixaria de socorrer-me. Lembrei-me de chegar à janela, olhar para a igrejinha e chamar pela nossa padroeira. Foi, de fato, o que fiz. Mas em vez de me sair da boca o nome que eu julguei pronunciar, em minha aflição – Nossa Senhora da Conceição da Capelinha –, saiu-me esse nome desconhecido, *Sotero*, que eu nunca tinha ouvido em minha vida...

Nem a escrava nem Leonor sabiam que a palavra *Sotero* significa *Salvador*.

– Proteção de Maria, minha filha – disse Leonor –, pois, se Frederico ouvisse o nome de Nossa Senhora, é certo que iria zombar e blasfemar; a substituição do nome foi obra de Deus...

– Fiquei assombrada...

– Um nome de homem e desconhecido incutiu-lhe respeito, se é que não foi medo.

– Peço a Deus que me restitua a saúde. O padre Francisco de Araújo Meneses vai vir na próxima semana. Eu prometi preparar as crianças para a comunhão. Não sei se poderei. Estou tão debilitada...

– Deus é bom Pai, Catarina. Vosmecê vai melhorar.

***

Quando Frederico Betim voltou de Taubaté, dona Leonor desconfiou de que qualquer coisa o havia contrariado no caminho. Via-o reservado, de cabeça baixa, olhar inquieto. Ambos evitaram tocar no assunto da escrava; Frederico Betim, com receio de irritar a esposa; e esta, por delicadeza feminina, porque sentia-se ofendida em seu amor próprio.

Aparecida

    Uma tarde, Frederico Betim montou no cavalo e foi, em pessoa, apartar os bezerros; costumava-se deixar as vacas com suas crias, juntas, pastarem até às duas ou três horas da tarde; eram, então, separadas para juntarem leite no resto da tarde e durante a noite.
    Frederico saiu assobiando e, a espaços, esporeava o cavalo, para o fazer saltar e dar de ancas. Estava, portanto, em um de seus dias contentes.
    Julgando que o marido ia demorar, dona Leonor chamou a escrava Catarina a seu quarto e confiou-lhe o encargo de penteá-la. Acabado o penteado, lembrou-se de fazer a escrava escrever uma carta sob ditado. Era para o capitão Amaro Gil e tinha por fim lhe dar a notícia da festa religiosa, que se realizaria na semana seguinte, e convidá-lo com toda a família para assistirem a ela.
    Catarina havia apenas começado a introdução – "*vão estas mal traçadas linhas*" –, quando Frederico Betim entrou de repente na sala. Leonor, reconhecendo seus passos, disse para Catarina:
    – Bom... Fica para depois – indicando o quartinho anexo. – Entre ali e esconda-se. Ele pode não gostar de encontrar vosmecê em nosso quarto de dormir. Como sabe, é um sujeito esquisito e incompreensível.
    Catarina obedeceu. Entrou no quartinho, fechou a porta e, vendo-se no escuro, pôs-se a rezar. Tinha certeza de que seria barbaramente castigada, talvez

mesmo esgoelada, se sua presença fosse pressentida pelo colérico sinhô.

Frederico Betim surgiu, de fato, no quarto conjugal, mas, antes de assentar-se ao lado da esposa, beijou-a na testa, com estudada mostra de afeto. E, assentando-se:

– Quero que me prometa segredo.

– De quê?

– De uma coisa... É de nosso interesse. Segredo até a morte. Não, prometer só não basta. Você vai jurar...

– Prefiro que não me comunique notícia alguma... Não gosto de jurar. Você compreende... Questão de hábito, de educação...

– Mas você precisa saber, Leonor... É de nosso interesse... Eu vou revelar-lhe um plano... Trata-se de um testamento... Nós somos mortais, e posso morrer de uma hora para outra... Se acontecer que eu morra, antes da execução de meus projetos, esse testamento deve ser destruído... Mas ouça, dona Leonor Portes del-Rei, você há de guardar segredo... Segredo absoluto, segredo tumular...

Dona Leonor, ante o olhar fulminante do marido, titubeou, gaguejou e disse:

– Guardo.

– E se não guardar? Poderei castigá-la?

– Pode.

– Até com a morte?

– Como quiser, Sr. Frederico Betim!

– Pois é, dona Leonor, é isso mesmo; aquele seu ex-cunhado é uma cavalgadura...

– Amaro Gil? – perguntou Leonor, não percebendo nenhum nexo nas palavras do marido.

– Dona Leonor teve algum outro cunhado? Teve outro ou não teve, eu me refiro é a Amaro Gil Côrtes de Siqueira, esse quadrúpede... Aqui está...

E Frederico Betim abriu sobre a cama uns papéis velhos, de letras bordadas, em que os *ss* pareciam *ff* e os *tt* tinham os Côrtes muito calcados e muito uniformes.

– Está aqui – disse ele, triunfante –, está aqui o testamento de Baltazar do Rego Barbosa, genro de Brás Teves Leme!

– O testamento que vai ser destruído? – perguntou Leonor.

– E quem vai destruí-lo é Vossa Excelência, dona Leonor Portes del-Rei!

– Mas que significa tudo isso? – perguntou dona Leonor, confusa e trêmula. – Eu pensei que se tratava de seu próprio testamento, Betim. Explique-se: que significa tudo isso, homem de Deus?

– Significa que o capitão Amaro Gil funda seus direitos nesse testamento... E é com esse testamento que ele vai ser vencido!

– Não compreendo nada.

– É simples. O notário de Taubaté substituiu esse testamento por outro, bem imitado. Modificou apenas os limites da fazenda de Vista Alegre... Amaro Gil vai citar em juízo o testamento que está em cartório... Aparecerá o falso... Terá sentença contra...

– Não tem receio de que descubram a falsificação?

– Nenhum – respondeu Betim, rindo –, nenhum. Aquele Raimundo é um gênio... Tudo que faz é bem-feito... Já fez outros serviços... e todos limpos.

– Se é assim – observou Leonor –, você mesmo pode destruir este testamento desde já...

– Precisarei dele ainda...

– Ainda?

– Sim. Quando eu ganhar a demanda, quero exibir este velho documento ao capitão Amaro Gil de Siqueira e perguntar-lhe: "Então? Quem é o imbecil?" E, ato contínuo, hei de rasgar em presença de suas barbas o testamento legítimo de Baltazar do Rego Barbosa!...

– Você dizia há pouco que pode morrer antes de ganhar a demanda...

– É. Mas então minha viúva, dona Leonor Portes del-Rei, rasgará o testamento... Porque não quero legar a meu filho, Ildefonso, um nome sujo...

– De falsário...

— De imbecil. O crime não está em tentar a ação; está em tentá-la e não conseguir realizá-la por falta de inteligência ou de oportunidade.

— Vosmecê tem uma alma diabólica, Frederico — balbuciou Leonor, querendo chorar.

— Não seja escrupulosa, filha — aconselhou Frederico —, "o mundo é dos espertos e não dos tolos". Estes constituem legião e aqueles são poucos. Aliás, se não existissem os bobos, de que viveriam os ladinos?

— Acabou a confidência? — perguntou Leonor visivelmente incomodada.

— Há mais. Contratei o Antenor Silva de Santana, conhece? O mesmo que matou o índio Itaporanga.

— Que está dizendo?

— E, indo a Taubaté, levei-o até a fazenda de Vista Alegre...

— Com que intuito, Frederico?

— Para ele ficar conhecendo bem a fisionomia do capitão Amaro Gil. Não deve equivocar no momento preciso... Quero ver de que servirá a Amaro Gil a proteção de sua "celestial madrinha".

— Está enigmático, Frederico.

— Ah, ah, ah! — gargalhou o marido. — Aquele imbecil se intitula afilhado de Nossa Senhora da Conceição, como se os santos estivessem a constituir procuradores bastantes, aqui na terra, para se fazerem representar na pia batismal.

– Está mal-intencionado, Frederico? – perguntou Leonor, ofendida com a impiedade do marido.

– Sim! Porque Amaro Gil, se insistir, morrerá... Se insistir, depois que perder a demanda. Ele é cabeçudo. Perderá a última sentença e será capaz de se negar a entregar-me as terras...

– Não seria bom tentarmos uma composição?

– Inútil, mulher. O homem é cabeçudo. Aquilo é um cavalo!

Nesse momento, Frederico Betim ouviu a voz de seu filho Ildefonso que o chamava no alpendre. Levantou-se e ia sair, quando, voltando a cabeça:

– Ah! devo-lhe uma explicação, dona Leonor – disse ele. – Em sua ausência fui obrigado a castigar sua escrava Catarina.

– O que muito me magoou, Frederico. Qual foi sua falta?

– Descobri que essa cabrita anda se opondo ao casamento de meu filho com sua filha Marta. Está sempre a repetir que Ildefonso é mau partido, porque é herege e ateu, e não sei mais o quê...

– Se for só isso, eu posso repreender a negrinha. E basta que ela saiba que o casamento é de minha vontade para se calar imediatamente. Você sabe como ela respeita minhas vontades.

– Ateu... ateu... como se não houvesse por aí muitos ateus gente boa. Ildefonso não é igrejeiro, nem carola... Mas tenho certeza de que é muito mais do bem do que esses que andam batendo no peito... como o tal Manuel Gil, por exemplo.

Falando maquinalmente, segundo seu hábito, Frederico começou a caminhar em direção da porta. Mas, parando de novo, e como duvidando de qualquer coisa, pôs-se a olhar para o lado do quartinho, indeciso sobre se saía ou se ficava. Por fim disse:

– Dona Leonor, quem é Sotero?

– Não sei, Frederico.

– Entre os escravos e camaradas que ultimamente vieram dos Guarás, não há algum com esse nome?

– Nenhum.

– Está bem.

E saiu, deixando dona Leonor em uma prostração profunda, em um desalento de morte.

Daí a pouco, Catarina apareceu e, tremendo-lhe os lábios, caiu no colo de Leonor, exclamando:

– Que horror, sinhá! Eu ouvi tudo!

– Guarde segredo, Catarina, e nada lhe acontecerá de pior – ordenou a senhora, levantando-se.

VIII
A última festa religiosa

Entretanto, o casamento estava marcado. Que importavam, pois, as murmurações de Catarina, uma escrava? Nem os próprios interessados tinham sido ouvidos. Era praxe da época. A orgulhosa aristocracia rural, de quem provimos, tinha sido fundada sobre uniões eventuais, em que a afeição mútua estava quase sempre ausente.

Ildefonso mostrava indiferença total na presença de Marta, como aliás, na presença de qualquer moça. Sua opinião acerca das mulheres importava em um platonismo irritante:

– Não pense – dissera ele à noiva – que sua beleza me impressiona... Nem seus cabelos sedosos... Nem seus olhos sonhadores. Nem sua voz macia... Para mim as mulheres são como as casas. Todas as casas são iguais. Todas as casas se compõem de cômodos quadrados – quatro paredes, um forro plano e um assoalho também plano. Só por fora é que as casas são diferentes, isto é, no alpendre e no telhado. Assim, vocês, as mulheres. Tire a pele, descasque as freguesas, e todas são iguais. Você, Marta, não difere da Catarina. Você é igual a qualquer negra da fazenda.

Era grosseiro o tal Ildefonso Betim! Apesar, porém, da ausência de afeição, o casamento já estava marcado para daí a um mês.

Marta ia confessar-se na próxima festa religiosa, para maior comodidade. Ficava preparada. Ildefonso, não. Nem agora, nem depois. O rapaz não acreditava em nada. Saíra ao pai.

O padre Francisco de Araújo Meneses voltou de Taubaté com antecedência de dois dias. Fora avisado de que haveria muita gente a confessar-se – confissões difíceis – e não quis saber de atropelo.

Foi a festa religiosa mais solene que se fez nos domínios de Frederico Betim de Rodovalho. A capelinha apareceu toda ornamentada, não tendo faltado os tapetes luxuosos nem as cortinas de damasco, pedidos emprestados às fazendas vizinhas.

Na frente da capela, descendo a encosta, foram levantados arcos de bambus, revestidos de flores e deixando balouçar ao vento festões de alecrins e rosmaninhos.

E não faltou o elemento humano nem a elegância feminina, porque foram distribuídos convites a granel. Em consequência, compareceram devotos de muitas léguas em torno, representantes das famílias mais distintas. Ali estavam os Marcondes, os Cunhas Buenos, os Limas Barbosas, os Cunhas Gagos, os Cae-

A última festa religiosa

tanos de Meneses, os Toledos Pizas, os Rodrigues do Prado, os Pedrosos, os Bicudos e Bocarros. Houve uma nota dissonante: todos notaram a ausência do capitão Amaro Gil Côrtes de Siqueira e família.

– Deve ter havido algum conflito – murmurou Corrêa Bocarro.

– Pois vosmecê não soube? – explicou Salvador da Mota de Oliveira. – O Betim foi a Vista Alegre, destratou o Amaro Gil e quase se pegaram. Ia havendo chifre queimado.

– Psiu! – advertiu Bocarro, mostrando o altar com o queixo. – O padre!

De fato, a Missa estava começando.

Fizeram-se ouvir vários cânticos religiosos, acompanhados em dueto pelos fazendeiros presentes, católicos da velha têmpera. De espaço a espaço, silêncio. E limpar de pigarros. E tinir de esporas e arrastar de sapatos no soalho. À hora do *Nobis quoque pecatoribus* e ao compasso da campainha, ouviu-se o ruído característico do bater nos peitos. Muitas comunhões. De escravos e de gente livre.

Alguns negrinhos, primeiros comungantes, bem vestidinhos, mas descalços, ostentavam no braço direito uma fitinha branca, em laço. As negrinhas traziam grinaldas e véus. Cada um sustinha sua vela acesa, símbolo da fé.

Catarina e Marta, as festeiras do dia, foram incansáveis. Tudo providenciaram; a própria pequena refeição para os comungantes, assim como o lauto banquete na fazenda, para os convidados de longe, tudo isso, o preparo das crianças, o ensaio do canto e a viagem do sacerdote, tudo foi trabalho das duas mocinhas.

Frederico Betim não teve despesa de um pataco!

A nota grave da festa foi a prática do Pe. Francisco de Araújo Meneses. Referindo-se ao grande número de comunhões, o orador encareceu as vantagens das capelas rurais e dos pontos de afluência, um simples cruzeiro, às vezes, onde o povo encontrava facilmente instrução religiosa e a dádiva dos sacramentos.

> "Num país incomensurável, como o nosso, de população dispersa, sem vias de comunicação, é mais fácil a locomoção de um, para o campo, do que a locomoção de muitos, para a vila. O sacerdote, pois, deve ir ao encontro dos fiéis."

Lembrou a bênção divina que era a imagem de Nossa Senhora, atraindo a si, pelos milagres, e agregando à Igreja, pela prática dos sacramentos, pecadores empedernidos e ovelhas tresmalhadas.

> "Praza a Deus – exclamou – que esta capelinha seja a semente de um Santuário Nacional, de onde a Mãe de Jesus faça chover bênçãos copiosas sobre o Brasil, sobre Portugal e Algarves e sobre as gentes de ultramar!"

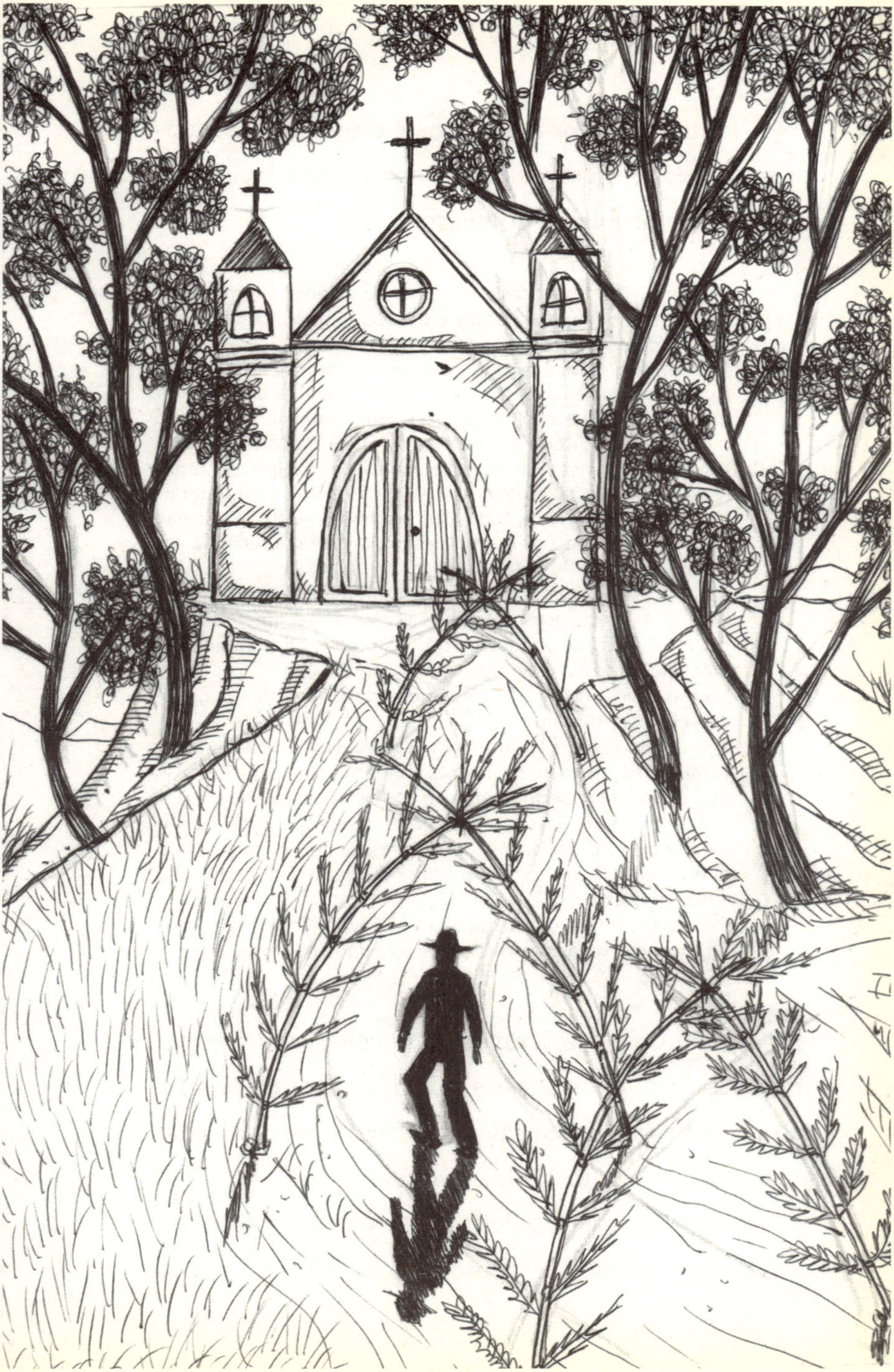

Aparecida

A comunhão dos negrinhos e a presença de tantos senhores de escravos deram ao orador ensejo para falar sobre o problema do negro. Disse:

> "As condições históricas puseram esta colônia em frente de três castas: o negro, o índio e o branco. O negro resignado, o índio indomável e o branco dominador.
> Fatalidade histórica, não nego. Mas, à face do Evangelho de Nosso Senhor Jesus Cristo, não existem castas. É ímpio supor que o índio não tem alma, que o negro é uma coisa e que só o branco tem direito às doçuras da vida. Todos os homens somos iguais, visto como Cristo morreu por todos. Se todos rezamos a Deus, chamando-lhe Pai nosso, então é que todos temos um Pai comum, todos somos irmãos. Jesus Cristo não ensinou duas orações dominicais, uma para ser recitada pelos brancos e outra pelos negros.
> Portanto, a escravatura, como instituto legal, deve ser considerada pelos brancos um privilégio ocasional, de existência provisória, da mesma forma que os grandes latifúndios nas mãos de poucos.
> Não se deve, pois, matar um índio, em hipótese alguma, porque ele é criatura humana.
> Não se deve, pois, torturar um escravo, como se ele não tivesse nervos nem sensibilidade. E muito menos uma escrava, que junta à dignidade humana a condição de ser mulher. E o senhor que se julgasse com o direito de atentar contra a dignidade de uma escrava seria simplesmente um tirano. Porque os negros também têm honra e direito a tantos títulos como os brancos.
> E ai daquele que martirizar uma escrava pelo só motivo de ter ela resistido aos instintos menos honestos de seu dono!"

Os senhores de escravos não gostaram da teoria, um tanto revolucionária, do pregador. Como, porém, não descobriram no sermão nenhuma alusão a suas senzalas, abstiveram-se de comentários.

Quanto a Frederico Betim, esse viu no sermão um insulto a si, uma espécie de provocação que não deveria deixar sem réplica, estava cheio de raiva. Remexeu-se, nervosamente, em sua cadeira de espaldar; era como se estivesse assentado em pontas de tachinhas. Enfunou--se. Roncou de indignação. Mas dissimulou. Conteve-se. Não de medo. Dissimulou por causa da assistência.

E dissimulou tão bem que, ao jantar, resolveu estranhar a ausência de Amaro Gil. À hora da sobremesa, notando que Leonor se achava ao fundo, entre algumas damas amigas, atirou-lhe esta frase:

– Dona Leonor! Você tem mesmo de ir a Vista Alegre participar ao capitão Amaro Gil o próximo casamento de nossos filhos: por que, então, não aproveita a companhia do compadre Marcondes, que regressa amanhã? O capitão, se não veio à festa, é porque, com certeza, adoeceu.

– Bem pensado – disse Leonor –, irei.

– E leve também a Catarina, sim? A mocinha trabalhou muito e merece descanso.

Ao despedir-se, porém, do Padre Meneses, Betim não soube conter-se:

– A capelinha, então, será semente de Santuário Nacional, hein, senhor Reitor? Barraca de circo de cavalinhos, isso é que ela é. Mas afianço-lhe que hoje foi o último espetáculo...

E, nas costas do padre que saía, ainda murmurou, dirigindo-se ao jagunço Antenor Silva:

– Pulha de padre! Veja lá se negro tem honra!... Tudo obra da Catarina... A mulatinha encheu a cabeça do padreco e este despejou do alto do púlpito aquela verborreia indigesta. Em vez de um sermão doutrinário, tivemos de ouvir aquelas inconveniências. Mas deixe estar que havemos de cortar a ponta da língua dessa mulata mexeriqueira.

– Hoje mesmo, meu chefe – sugeriu Antenor. – É só mandar.

– Hoje, não. Na volta. Fica para quando ela regressar de Vista Alegre. Como castigo, será melhor que tronco.

IX
O "memorare" de São Bernardo

Leonor Portes, Marta e Catarina chegaram a Vista Alegre em um dia claro de setembro e encontraram o capitão Amaro Gil no curral, curando as bicheiras da bezerrada.

A tarde foi passada festivamente. Para comemorar a volta de Marta, matou-se uma leitoa, e mandaram chamar Nhá Maria no engenho, a fim de preparar o jantar. Ela sim! Aquilo é que era saber assar uma leitoa. Tinha uma mão!...

– Muitos dias conosco, dona Leonor? – perguntou Amaro Gil, no jantar.

– Infelizmente, não – volveu Leonor. – Voltamos depois de amanhã.

– Mas já, Leonor! – censurou dona Madalena e acrescentou! – Tão já? Está-se vendendo caro!

– São coisas! Madalena sabe a vida que leva uma dona de casa. Tudo é com a gente... Até os botões das camisas do marido.

Dona Leonor não estava sendo sincera. O sargento-mor lhe ordenara que se demorasse pouco, e ela cumpria ordens. A pobre mulher anulara-se totalmente sob o jugo tirânico do marido. A razão, pois, de sua pequena demora em Vista Alegre era esta e não outra.

Todavia, querendo ainda justificar sua pressa, ela dirigiu-se ao capitão Amaro Gil e falou:

– Também, para que me demorar? O capitão vai viajar amanhã...

– Não importa, dona Leonor – explicou Amaro Gil –, a casa é sua, e pretendo regressar em breve.

– Então segue mesmo amanhã?

– E de madrugada, dona Leonor. Quero ver se chego a Taubaté ainda cedo. O negócio é urgente.

E reparando que muita gente prestava atenção ao diálogo, Amaro Gil fez sinal para dona Leonor e explicou:

– Depois eu conto.

Não foi só a tarde que se passou em festas. A noite também. Uma noite povoada de recordações e sonhos. Com desafios, no alpendre, onde haviam dependurados grandes candeeiros de azeite, para iluminar os violeiros. E houve jogo de prenda.

Marta passava suas mãos fechadas entre as mãos ansiosas de Manuel Gil, e seguia, percorrendo a fila. Depois, este e aquele:

– Com quem está o anel?

Manuel Gil errava de propósito e recebia bolos daquelas mãos macias, embevecido e contente.

O "memorare" de São Bernardo

Como de costume, rezou-se o terço antes do término da reunião. Em seguida, distribuíram-se broas e cuscuz entre os presentes; alguns preferiram leite com angu. E deu-se por findo o sarau, com muitos agradecimentos de dona Madalena.

Pouco depois, estando quase todos recolhidos a seus aposentos, Amaro Gil fez vir dona Leonor a seu quarto, onde já se encontrava dona Madalena. Atiçou o pavio da candeia e confidenciou:

– Nunca estamos livres de traições, dona Leonor!

– Que houve, capitão? – perguntou Leonor Portes, com trêmulos na voz e volvendo o pensamento para seu marido distante.

– Imagine você que surraram com tal sustança o tabelião de Taubaté que o reduziram a trapo.

– Não diga, capitão! – exclamou dona Leonor. – Mas seu Vasco Raimundo não merecia tal... Era homem de bons costumes, controlado, serviçal...

– Surra bem empregada – comentou dona Madalena, em voz baixa.

– Por que, Madalena?

– Ouça o que o velho vai dizer, Leonor.

– E o homem veio a falecer – concluiu Amaro Gil.

– Então vai ao enterro, capitão?

– Já foi sepultado há mais de mês, Leonor, mas só agora é que suas trapalhadas apareceram. O homem era um falsário, um venal, um ladrão, enfim... Imagine... Debaixo daquele quieto...

– Falsificou documentos, capitão?

– E morreu por isso – confirmou dona Madalena –; um prejudicado deu pela malandragem e acabou com ele.

– Substituía documentos legítimos por outros que ele forjava admiravelmente bem – declarou Amaro Gil.

– E o capitão acha que é um dos prejudicados? – perguntou Leonor.

– Acho, não. Tenho certeza. O salafrário desviou uma escritura minha e pôs uma falsa no lugar dela...

– Escritura de valor, capitão?

– Sim, de valor inestimável – o testamento de meu avô materno, Baltazar do Rego Barbosa!

– Que horror! – exclamou dona Leonor, escandalizadíssima.

Amaro Gil continuou:

– O testamento de Baltazar do Rego Barbosa estava apenso ao livro de óbitos número 1 da igreja-matriz de Taubaté. Depois, tendo havido a criação da Vila, foi transferido da igreja para o Cartório do Primeiro Ofício e ficou apenso à escritura da compra de minha casa. Eu quisera guardar esse testamento comigo, mas, como ele interessava a diversos, achamos melhor que fosse para o cartório.

– E roubaram o testamento, capitão! – exclamou dona Leonor, compadecida.

– É, Leonor – disse Madalena –, roubaram-no.
– Mas irei no encalço... Desconfio de uma pessoa em Taubaté... Varejaremos a residência dessa pessoa... Não há dúvida... É ela...

Dona Leonor ficou deveras impressionada com a revelação, não porque ignorasse o roubo e o paradeiro do testamento, mas por ter vindo a saber que o capitão Amaro Gil já estava a par do crime. Conhecia de sobra os Gil Côrtes de Siqueira. Eram homens de cabelo nas ventas.

Destemidos e resolutos quando se tratasse da defesa de um direito certo e líquido. E rancorosos. Não sabiam esquecer uma injúria. Iam até o fim na perseguição de seus caluniadores e ofensores... Até o fim da picada, para usar uma expressão deles.

Dona Leonor conhecia de sobra esses homens inflexíveis, duros e impulsivos. Mas aquietou-se. Pelo final da conversa, descobriu que o capitão Amaro Gil nem por sombra desconfiava de Frederico Betim, seu marido atual. E dormiu tranquilamente.

***

Às duas horas da tarde, ou pouco mais, quando as galinhas ciscavam na poeira, sacudindo as penas, e as cigarras cantavam, grudadas nas cascas das árvores, Marta teve o capricho de querer ir por aí, como nos belos tempos em que era a musa desses lugares encantados.

E disse para Manuel Gil:

– Venha comigo!

Levantaram-se e caminharam vagarosamente, como dois seres inseparáveis na vida. Junto da porteira, um passarinho desceu, como flecha, do beiral da casa e pareceu investir contra Marta... Limitou-se, porém, a dar um estalido com o bico, quase em cima da cabeça da moça, e tornou contente para a telha grande do ângulo.

Manuel Gil riu-se do susto que Marta levara.

– Passarinho ousado – disse Marta. Duas estradas: a da direita conduzia para o engenho; a da esquerda, para o capão dos ipês. Marta quebrou à esquerda e Manuel Gil seguiu-a.

Diante deles caminhava em ziguezague uma cachorrinha peluda, chamada Laica, nome esse que registrava uma reminiscência clássica. Ia irrequieta, cheirando as moitas e pisando as flores, porque havia muitas flores no caminho. As rosas e os jasmins exalavam doces perfumes no ambiente morno da tarde e, nas frondes dos sangra d'águas e ingazeiros, andava um sussurro de brisas indiscretas e de asas agitadas, como se os ventos suaves e os passarinhos estivessem a vigiar os passos de Marta.

O "memorare" de São Bernardo

Uma delícia, o ar. O rosto da moça recebia o beijo fresco da viração como pelúcias de arminho. Nuvens da cor do ferro estendiam pelo chão o tapete sublime das sombras. Antes de adentrarem pelo capão, os dois jovens saíram algumas vezes do caminho, aproveitando as sombras dos açoita-cavalos que a foice havia poupado.

– Você já notou, Marta – observou Manuel Gil –, que as árvores conversam? Veja como ficam olhando umas para as outras, atenciosas. É uma conversa que não ouvimos, muito baixa, porque as árvores se acostumaram ao silêncio e têm o ouvido muito apurado.

– Esquisito – falou Marta, um tanto alheia à observação do primo –, esquisito! Estamos no começo de setembro e as tesouras já apareceram... E os tizius também... Repare aquele... como assobia, pulando... Negrinho vaidoso! Quer ser visto por todos...

Manuel Gil estava sem assunto. Calou-se.

Por cima da cabeça dos dois já se espalmavam as ramagens ora silenciosas, ora sussurrantes do mato bravio.

Manuel Gil e Marta eram como o centro da natureza. Dir-se-ia que a umbela do céu pardacenta fora feita para protegê-los, e que os pássaros gorjeavam para eles, e que os caminhos serpenteavam para eles. Tornavam-se cúmplices das coisas com esse amor poético e inocente.

Marta não tagarelava tanto, como de costume. Ia triste e calada.

— Há de me prometer, Manuel, que nunca me esquecerá.

— Que quer dizer com isso, louquinha? – perguntou Manuel Gil, distraído. Perguntou por perguntar, pois o sentido da frase era bem claro para ele. Marta silenciou.

Um par de juritis pousou diante deles na estrada. Mas Laica, sempre agitada, saltou-lhes em cima, espantando-o com uma bocada. E mostrou sua satisfação com os movimentos do rabo.

— Devíamos ser assim, juntinhos – disse Manuel Gil.

— Quem dera! – exclamou a moça, concordando.

— Estaríamos sempre unidos, no coração da mata, no vão da estrada, no trapézio das árvores e, se algum dia a inveja nos viesse latir aos ouvidos, levantaríamos o voo e iríamos gozar o azul, sempre juntos! Sempre juntos!

Agora, os ipês. Uma combinação maravilhosa de verde e amarelo. Verde de muitos tons; verde-gaio, verde-escuro, verde-garrafa, verde-oliva. E um amarelo vivo, que alegrava a vista, dominando as copas. Orquídeas riam, silenciosas, nos fundos cheios de mistérios. E cipós subiam, apertando os troncos, que procuravam asfixiar com seus longos amplexos. Vozes misteriosas vinham das grotas sombrias, em sussurros.

Uma arara se fazia ouvir nos taquarais. Ali mesmo, perto, um nhambu chamou a fêmea, com exaltação na voz. Foram notas amiudadas e decrescentes, que reboaram ao longe, na selva, porque o mato é uma perfeita caixa de ressonância.

Em torno, por toda parte, ainda os ipês, de flores douradas, os ipês festivos, calmos, risonhos. Ao lado de Manuel Gil, Marta também se lhe afigurava um lindo ipê humano, com seus cabelos louros, em revoada.

Manuel Gil estava embevecido, mas triste.

Marta, transfigurada, mas triste.

A selva estava encantada, mas triste também.

Havia, com efeito, uma nota de desgraça em todo esse passeio. Andava no ar um perfume estranho, de flores silvestres, de terra úmida, de fermentação de folhas caídas.

– Sabe, Manuel, o que mamãe veio fazer em Vista Alegre? – perguntou Marta, aflita.

– Não sei, não, minha prima.

Marta começou a chorar.

– Ah! Sei! – volveu Manuel Gil, condoído e acariciando a basta cabeleira da prima. – Veio participar a papai seu casamento com o filho de Frederico Betim...

– É meu destino, Manuel.

– Marta – disse o rapaz, limpando também duas lágrimas –, o destino é dona Leonor Portes del-Rei.

– Mas que fazer, Manuel? Nessa questão, que decide duas vidas para todo o sempre, os únicos que não são consultados são os interessados diretos.

– Diga, Marta: você tem coragem de dar um desgosto a sua mãe?

– Não.

– Então, obedeça, e sejamos infelizes.

Manuel Gil compreendera tudo. Sentindo um choque profundo, como se a notícia constituísse surpresa para ele, pensando na dureza de sua situação, assentou-se sobre um tronco de árvore que ali se achava estendido no chão e, sem querer, desatou a chorar. Estava como fulminado.

Marta assentou-se ao lado dele e não pôde também conter o pranto. Eram dois infelizes. Laica, a inteligente cachorrinha, olhava-os curiosa, sem compreender o que isso significava. Mas, de repente, fitou as orelhas para um lado e deu sinal de que alguém se aproximava. Era Catarina. Anjo da guarda a quem Deus confiara velar os passos de Marta nesses dias difíceis; ela viera seguindo as pegadas dos dois primos, desde a fazenda, cautelosamente, sorrateiramente, até o mato.

– Por que estão chorando? – perguntou ansiosa e continuou. – Perderam o caminho?

– Ah! Catarina – respondeu Manuel Gil. – Perdemos o caminho da vida!...

– O caminho da felicidade – explicou Marta.

– Gente de pouca fé – disse Catarina, em tom de censura. – Vosmecês já pediram a Nossa Senhora da Conceição, da capela, uma solução para o caso?

O "memorare" de São Bernardo

– Solução, como? – volveu Marta. – Então você não sabe que mamãe já marcou meu casamento? Não é para daqui a quinze dias?
– Já? – disse Manuel Gil, desconsoladamente.
– De pouca fé, sim, meus meninos. Vosmecês querem desconhecer o poder de Nossa Senhora? São Bernardo afirma que ela não deixou nunca de atender a quem lhe pedisse qualquer coisa, com fé e confiança. Vosmecês acreditam no poder e na bondade de Nossa Senhora, Mãe de Deus?
– Acredito – respondeu Marta, firmemente.
– Acredito – anuiu Manuel Gil, muito pouco seguro do que afirmava.
– Pois então venham comigo – ordenou Catarina.
Seguiram-na até a saída do mato. Depois sempre a seguindo, subiram uma encosta.
– Agora, meus amiguinhos – disse Catarina –, agora! Olhem para lá... lá longe, no fundo do vargedo, para as bandas da serra azul. Lá está a capelinha que Marta me ajudou a construir. Nossa Senhora não pode deixar de "recompensar" a piedade de Marta e a "confiança" de Manuel Gil.
E olhando, desconfiada, para os senhorezinhos:
– Mas eu noto que duvidam. Digam: Vosmecês creem?
– Cremos!
– Pois, então, ajoelhem-se comigo, de mãos postas, e olhem para o vargedo... Lá embaixo. Rezemos!

E os três balbuciaram:

– "Lembrai-vos, ó piíssima Virgem Maria, que nunca se ouviu dizer que algum daqueles que têm recorrido a vossa proteção, implorado vossa assistência e reclamado vosso socorro fosse por vós desamparado. Animado eu, pois, de igual confiança, a vós, ó Virgem entre todas singular, como à mãe recorro. Prostrado a vossos pés, de vós me valho. Não desprezeis minhas súplicas, ó Mãe do Filho de Deus humanado, mas dignai-vos de as ouvir propícia e de alcançar o que vos rogo. Amém".

***

Um joão-de-barro, que construía sua casa no mourão de uma porteira, agitou, nesse momento, as asas, freneticamente, e desferiu gritos apaixonados, festejando a chegada da companheira.

Mais adiante, entre os galhos de um assa-peixe, um filhote de chupim, negro e esguio, atordoava um tico-tico, pedindo alimento.

Mas os três devotos de Maria, concentrados em sua prece profunda, nem sequer perceberam que a primavera derramava perfume e melodia em torno deles, nessa tarde macia.

X
Preparativos

Quando Amaro Gil voltou de Taubaté, dona Leonor e seus companheiros já tinham retornado ao Cafundó. Amaro Gil estava desolado. Apesar de seus muitos esforços, não conseguira pegar o fio da meada. O testamento desaparecera de fato. Desaparecera misteriosamente.

– Tudo inútil – disse ele à dona Madalena. – Nem vestígio ficou. Aquilo em Taubaté é uma podridão. Existe uma quadrilha organizada. Apelar para quem? Para el-Rei Dom João V, senhor de Portugal e Algarves? Bandidos!

Dona Madalena tomou o marido pelo braço e disse:

– Calma! Mais vale quem Deus ajuda do que quem cedo madruga.

E assim que se viu só com o marido, confidenciou:

– Você não desconfia do sargento-mor Frederico Betim?

– Não.

– Pois foi ele. O testamento está com ele. É a tal questão da divisa...

– Não é possível, mulher. Você está fantasiando!...

– Sei de tudo. Catarina viu o testamento.

– Que me está dizendo, Madalena?

– Sei mais. Foi ela quem tudo me contou, mas sob muita reserva. Pediu-me que lhe comunicasse o fato: você está ameaçado de morte! Sua vida corre perigo!

– Era o que faltava...

– A mulatinha teve escrúpulos de revelar a verdade. Duvidava, cheia de temores. Mas aconselhou-se com o Padre Francisco de Araújo Meneses, em confissão... E o padre respondeu que era uma questão de consciência; ordenou que Catarina nos contasse tudo... para você se prevenir.

– Mas como foi que a escrava chegou ao conhecimento da verdade?

– Não quis dizer-me como foi. Pediu-nos que lhe poupássemos mais esta revelação.

– Também, sabida como ela é!

– Se pairasse dúvida, Catarina não levaria o fato ao conhecimento do padre.

– Certo. Mas diga uma coisa, Madalena: dona Leonor sabe disso?

– Creio que Leonor não sabe nada. Suponho que ignora tudo. Pelo menos, foi o que me afiançou Catarina. E note: a escrava teve receio de conversar com sua senhora, a respeito da trama, porque dona Leonor hoje é esposa de Frederico Betim.

Preparativos

– Esperta e prudente.

– Mas que tudo é verdade, é. Previna-se, capitão Amaro Gil Côrtes de Siqueira!

Apesar de impressionado com a revelação que a esposa lhe acabava de fazer, Amaro Gil sentiu grande alívio ao ver-se livre da dúvida que o atormentava. Tornou-se loquaz e comunicativo e até prazenteiro. Tendo descalçado as botas, trocou ainda umas poucas palavras com dona Madalena e dirigiu-se ao curral para ver o movimento.

Nesse momento, haviam os retireiros finalizado a ordenha. Vendo o fiel Ambrósio por ali, que picava fumo de rolo com uma faca esguia e brilhante, Amaro Gil pegou a ocasião pela ponta do rabo e disse, prazenteiro:

– Ambrósio, seus homens estão prevenidos?

Ambrósio cuspiu para os lados e, respeitoso, respondeu:

– Pois não havia de está, sinhô?

– Quantos?

– A mó que uns cento e corenta.

– E os arcabuzes?

– Tudo de jeito. Preparei os mourão pros arcabuz e mandei juntá muitas pederneiras pras espingarda. As foice e os facão também. Estamos esperando o arranca-rabo prometido. Um chinfrim de vez em quando interte bem a rapaziada...

– Sortiu bem os polvorinhos?
– Esteje calmo, sinhô. Munição não farta. Só se fartá caça.
– Pois é, meu negro. Nós vamos atacar o sargento-mor a qualquer hora. Sabe o que aconteceu?
– Não sinhô.
– Ele roubou-me um documento de valor, um testamento, e nós vamos ver se ele topa. Ou o documento ou a vida. E o que me diz da cerca? Ele repôs a cerca no alto das Seriemas?
– Inté ontem não tinha posto.
– Aquele excomungado! Quer saber uma coisa, Ambrósio? Será esta semana... Devemos aproveitar a lua...
– É... A lua vai ser cheia... Boa ocasião para uma caçada de paca.

Todo dominado pela ideia da empresa, Amaro Gil pouca atenção prestou nos presentes. Muitas pessoas ouviam, interessadas, sua conversa com o escravo. Notando, então, entre os circunstantes, o retireiro Manuel Getúlio, Amaro Gil se dirigiu a ele amavelmente:

– Manuel Getúlio, diga: Vosmecê conhece bem a fazenda do Cafundó?
– Já fui empregado do sargento-mor, duas vezes, seu capitão Gil.
– Conhece todos os trilhos que levam para o curral e para a água furtada?

Preparativos

– Perfeitamente, capitão.

– Então vosmecê irá também, Mané. Serão ao todo 141 homens.

– Serão 150, meu chefe – disse Ambrósio, rindo com estardalhaço –, serão 150, porque o Mané Getúlio vale por dez.

Amaro Gil entrou. Deviam ser duas horas da tarde, quando Manuel Gil procurou o pai, em seu escritório, e lhe comunicou:

– Papai, Manuel Getúlio pediu as contas...

Amaro Gil desferiu uma estrondosa gargalhada, e, limpando os olhos com um lenço, comentou:

– O patife! Mulato atrevido e sem palavra! Bem disse o Ambrósio que ele valia por dez! E você acertou as contas, Manuel Gil?

– Acertei, papai. Havia um pequeno saldo a seu favor. Levou cinco patacas.

– E não declarou o motivo por que se retirava do serviço?

– Declarou. Disse-me que o Sr. meu pai quer obrigá-lo a ir assaltar a fazenda de Frederico Betim, de quem é amigo. Ademais, alegou que é pai de família e que não serve para jagunço.

– Mas que atrevido! – bradou Amaro Gil, rindo ainda, rindo muito. – Supor que eu vou dirigir uma cena de banditismo!...

Aparecida

– Fiz bem ou mal, papai? – perguntou Manuel Gil.
– Fez bem, meu filho. Mais vale um negro de canela fina do que um mulato sem raça. Diga, Manuel: Ele ainda está aí?
– Qual, nada! Untou sebo nas canelas e azulou! Já está longe!
– Também, camarada desse tipo – comentou Amaro Gil –, ferreiro daquela marca... Aquilo, só para sabão!... Nem isso... estraga a tachada inteira.

XI
O regresso

Marta, triste, sentia que deixava Vista Alegre para sempre. Seu espírito custou a acostumar-se com a ideia do sacrifício; mas aceitou, enfim, essa ideia e resolveu, pois, ir correndo para o matadouro.

Talvez fosse por isso que esporeou o cavalo o mais que pôde. Catarina, também, boa amazona, apreciou a disparada, e as duas puseram-se a apostar corrida, levantando atrás de si pesada nuvem de pó.

Dona Leonor, embora encadernada em um longo vestido de amazona, não quis contrariar a filha e tudo fez para acompanhá-la na marcha. Tocou que tocou. Mas chegou cansadíssima.

Gostaria de encontrar o marido em casa. Não teria coragem de dar-lhe a notícia da morte do Tabelião de Taubaté; mas, sem saber o porquê, receava qualquer coisa de grave e queria falar-lhe para estudar-lhe a fisionomia ou penetrar-lhe, quando possível, no íntimo. Sentiria remorso o sargento-mor? Teria medo dos acontecimentos? Pensando bem, dona Leonor sofria muito mais do que ele e o que desejava era expulsar do espírito a preocupação que a perturbava.

Mas Frederico Betim não estava. Tinha ido a sua fazenda dos Guarás, a negócio, e só voltaria no outro dia.

Cansada como se achava, dona Leonor resolveu, então, repousar um pouco, dormir um sono reparador, preparando-se, assim, para o jantar.

Quando, porém, dirigia-se ao quarto, um dos escravos encarregados da guarda do terreiro chamou por ela:

– Com sua licença, sinhá?

– Que novidade, Antônio? – perguntou Leonor, fazendo sinal para que o escravo se aproximasse.

– Está aí no rancho um indivíduo que deseja falar com o sinhô Betim. Está desde cedo. Como sinhô não volta hoje, ele teima em falá prá sinha. Diz que é negócio sério.

– Não é pedinte de esmolas?

– Acho que não. Está malvestido, mas diz que nunca pediu misericórdia. É um velho gabola. Arrota que é muito rico, senhor de escravos, possuidor de duas fazendas.

– Está bem, Antônio. Eu vou esperar na sala de fora. Vosmecê conduza para lá esse importuno.

Daí a pouco surgiu no tope da escada e encaminhou-se para a sala um cavalheiro de aspecto nobre, portador de longas barbas revoltas, que ele parecia prezar muito. Grisalho, tinha ainda muito brilho nos olhos vivos e firmes. Calçava botas altas até os joelhos e sobraçava um velho bacamarte. Tudo nele denunciava um caminheiro.

Abandonando o chapéu no chão, ato de fina urbanidade, falou à dona Leonor Portes, com voz calma e sonora:

– Dona Leonor Portes del-Rei! Não está em meus hábitos falar a sós com uma senhora casada, na ausência do marido. Mas, como seu esposo não regressa hoje, segundo me informaram, e eu tenho pressa, tomei a liberdade de vir à presença de Vossa Excelência.

Dona Leonor empalideceu ao ver o estranho indivíduo e ao ouvir-lhe a voz. Trêmula, seu primeiro pensamento foi de gritar, pedindo socorro; notando, porém, que o forasteiro acariciava o cano da espingarda, temeu uma tragédia, e conteve-se... Mas não pôde ter-se de pé. Inconscientemente, e também irresistivelmente, deixou-se cair sobre o sofá grande da sala, em uma posição que não era bem de desmaio nem de pessoa assentada.

– Dona Leonor Portes del-Rei – continuou o homem –, vossa Excelência me conhece?

– Meu Deus! – exclamou dona Leonor, fechando os olhos.

– Vós me conheceis, sim, dona Leonor! Porque não sou nenhum fantasma de além-campa! Sou Sebastião Gil Côrtes de Siqueira, que supúnheis morto!

– Sois um impostor! – rugiu dona Leonor, cobrando ânimo.

– Eu um impostor? Mas se sou um impostor, por que é que minha presença vos perturba tanto? Por que desviais de mim vosso olhar? Ah! Dona Leonor, vós bem sabeis quem eu sou!

– Não sei quem sois, meu bom amigo – volveu Leonor, arrependida de se ter mostrado áspera –, não sei quem sois, mas vosso aspecto me impressiona. Que quereis de mim?

– Que quero? Vós me perguntais seriamente? Quereis saber o que pretendo? Reconstruir meu lar! Entrar na posse do que é meu...

– Insistis, meu velho? Vós lembrais vagamente a fisionomia de meu primeiro marido, mas não provais que sois ele...

– Provo!

Dona Leonor estremeceu. O forasteiro cravou nela um olhar fulminante, de censura e compaixão, e continuou:

– Vós tendes uma filha, ou melhor, nós temos uma filha: Marta, nome esse que vem sendo repetido em muitas pessoas de minha árvore genealógica. Dizei: É ou não verdade que ela é marcada nas costas, por uma pinta preta, na altura da última costela? Em nossa família, todos têm esse sinal, ora em uma parte, ora em outra, do corpo.

— É verdade, homem, mas vós ouvistes isso de alguém.
— Ouvi de alguém? — tornou o cavalheiro, meio indignado e desferindo uma risadinha sarcástica. — Ouvi isso de alguém?

E chegando-se, ato contínuo, para bem perto de dona Leonor, balbuciou-lhe no ouvido um segredo que só os dois conheciam e depois, voltando para a primitiva distância, perguntou com sarcasmo:

— Eu ouvi isso também de alguém?

E como dona Leonor, perplexa, insensibilizada, continuava muda, ele dramatizou:

— Miserável que eu sou! Meu amigo Borba Gato foi também desconhecido e rejeitado pela esposa; mas sua esposa, dona Maria Leite, permaneceu-lhe fiel... Não praticou nenhum ato censurável. Quanto a mim, depois de tantos sofrimentos que me proporcionou o sertão, venho procurar meu lar e o encontro desfeito, desmoronado... Venho procurar minha Leonor e encontro-a em uma situação duvidosa, situação que uma consciência pura nunca poderá justificar! É simplesmente doloroso! É simplesmente horrível!

Pronunciando essas palavras com exaltação e ternura, o forasteiro foi obrigado a enxugar com os dedos as lágrimas que lhe banhavam as faces.

— Ah! Perdão, Leonor! — exclamou ele. — Perdão! Eu nunca chorei em vossa presença.

Dona Leonor também desatou a chorar convulsamente. Ela compreendera, enfim, que era inútil continuar a fingir, a dissimular, a mentir. E mais: enxergou um escândalo, como desfecho do caso. E como, o que mais temia, era o escândalo, modificou sua atitude.

— Sebastião — disse ela, meigamente —, o culpado fostes vós. Doze anos de ausência! E eu não fui nenhuma leviana. Deveis saber que constou de vosso falecimento. Pedida em casamento pelo sargento-mor, instaurei processo. Os papéis foram preparados. Correram editais. Depuseram muitas testemunhas, havidas como fidedignas.

— Basta. Estou a par de tudo, Leonor. De fato, indo para o sertão, na bandeira de Bartolomeu Bueno de Siqueira, apanhei as febres perto de Ibituruna, nos Campos de Cataguás. Fui abandonado pelos companheiros, que me supuseram moribundo. Mas um índio amigo, o fiel Itaporanga, preparou-me uma beberagem milagrosa, salvando assim minha vida. Não soube mais nada dos antigos companheiros e juntei-me à outra bandeira. Há um ano mais ou menos, resolvi voltar a casa, para vender o que é nosso e fixar residência no sertão, onde tenho haveres. Mas em viagem adoeci de novo, gravemente, e fui obrigado, então, a deter-me na Serra das Carrancas, não muito longe daqui. Foi nessa ocasião que enviei meu índio...

– Itaporanga?

– Sim, Itaporanga. Devia procurar primeiro meu irmão, em Vista Alegre. Tinha instruções para, em seguida, ir procurar-vos, nos Guarás, e dar-vos notícias de mim. Aconteceu, porém, que o índio, ao passar por Guaratinguetá, não soube guardar segredo de sua missão, e houve alguém interessado em que ele não chegasse a seu destino... Alguém que olhava com ambição para as propriedades de Sebastião Gil.

– Como sabeis disso, Sebastião Gil?

– Ah! Dona Leonor Portes Del Rei! – exclamou Sebastião Gil. – Vós sois mui pouco observadora... Estais nesta casa há um ano e não olhastes para as paredes nem examinastes os cabides... E eu estou há meia hora apenas e já vi muita coisa... Olhais! Não vedes aquela sacola?

Dona Leonor reparou. O objeto apontado por Sebastião Gil estava dependurado em um cabide feito de canela de veado, curtida.

Sebastião continuou:

– Olhai, dona Leonor! Aquela sacola é minha e foi arrebatada ao índio Itaporanga, que devia entregá-la a meu irmão Amaro Gil. Mas aposto que não atinaram com o segredo. No forro, que é de couro duplo, ela traz um bilhete para Amaro Gil... Se duvidais, examinai!

– Que dizeis?

– Sim, um bilhete no qual eu avisava minha chegada a esta zona, logo que sarasse.

– E que dizeis, então, do processo do casamento e do depoimento de tantas testemunhas?

– Frederico Betim tem amigos em Tripuí, no sertão, e eles atestaram minha morte... Mas juraram falso, Leonor! São perjuros, são excomungados...

Quando Sebastião Gil, neste ponto, elucidava a notícia inexata, notícia falsa, que o havia dado por morto, a porta do fundo abriu-se, e uma voz cristalina se fez ouvir:

– Mamãe! Pode-se pôr o jantar?

Sebastião Gil, incontinente, voltou o rosto e, vendo Marta, correu para ela, exclamando:

– Minha filha! Minha filha!

Marta, atônita, não sabendo o que fazer, olhou para a mãe a pedir explicação.

Porém Sebastião Gil, nervoso, dramático, como louco, deixou cair a espingarda no assoalho e, ajoelhando-se aos pés de Marta, continuou a balbuciar, com voz entrecortada pelos soluços:

– Minha filha! Minha filha!

Dona Leonor foi ágil. Levantou-se do sofá e, metendo-se entre os dois, foi empurrando a filha pelo vão da porta, com brutalidade desusada; e, para que Marta não estranhasse esse gesto inopinado, explicou:

O regresso

– Fuja, minha filha! É um velho amigo de seu falecido pai... Coitado! Está sofrendo das faculdades mentais...

Sebastião Gil, assim que viu a porta fechar-se, fitou em Leonor uns olhos suaves, denunciadores da amargura infinita, que lhe cortava a alma, e redobrou no pranto. Chorava como uma criança. Chorava copiosamente, com engulhos, tendo a respiração rouca, o peito ofegante e as mãos trêmulas.

Sem voltar a assentar-se, mas afastando-se um pouco, dona Leonor pôs-se a refletir por uns instantes e a seguir, sopitando as lágrimas que lhe afloravam no rosto, falou:

– Sr. Sebastião Gil Côrtes de Siqueira! O mal é irreparável... Desapareceu...

– Não, Leonor – protestou o marido –, não! Não posso viver longe de minha filha. Se não quereis abandonar a situação pecaminosa em que ireis viver daqui por diante, pelo menos não me negueis o direito de ver minha filha. Desisto de tudo, por causa dela. Admiti-me como criado, como escravo, em vossa fazenda, mas não me expulseis daqui... Ninguém me conhece. Eu juro que não vos comprometerei... Não hei de dar-me a conhecer a ninguém… a ninguém! Contentar-me-ei com vê-la perto de mim, ouvir suas risadas, sabê-la feliz… e alegre...

— Impossível, Sebastião Gil! – respondeu Leonor, falando imperiosamente. – Impossível! Se insistirdes, recorrerei a meios violentos.

Sebastião Gil deitou em Leonor um olhar de piedade e, tomando a espingarda:

— Vós morreríeis antes de mim, dona Leonor Portes del-Rei. Eu poderei ser um desgraçado, mas um imbecil ou um covarde, nunca! Todavia, vou fazer a vossa vontade. Por causa de Marta, pela felicidade de minha filha, eu me retiro.

Vendo o marido afastar-se, em obediência a seu mando brutal, dona Leonor teve dó, um dó profundo, mortificante, perturbador; lembrou-se da afeição antiga, sincera e recíproca, que os havia ligado no matrimônio; lembrou-se da bondade, feita de ternura e complacência, que sempre encontrara naquele coração grande e másculo. Mas esse pensamento de dona Leonor foi apenas um lampejo de bom senso que iluminou sua consciência: suave, mas rápido como um meteoro.

— Ah! Sebastião Gil Côrtes de Siqueira! – exclamou Leonor, chorando. – Voltastes muito tarde. Já estou casada no conceito de todos. Nossa filha é noiva de meu enteado. Vosso reaparecimento seria um embaralhamento das situações... Um transtorno... para mim e para nossa filha. É por isso que vos aconselho que vos retireis.

O regresso

Sebastião Gil, sem esperar que a esposa terminasse a justificação de seu infame procedimento, encaminhou-se para a porta de saída. Estava trôpego, pesado, reumático. Arrastava as pernas, como se estas não quisessem obedecer, e ia limpando as lágrimas com o punho. Estava desolado. Tendo apanhado o chapéu que deixara no chão, voltou-se para Leonor, sua mulher, e perguntou:

– Para onde, Satanás?

Dona Leonor soltou um resmungo de ensaiada indiferença e, mostrando a serra azul dos Campos de Cataguás, sugeriu:

– Para o sertão!

XII
A emboscada

Voltando da fazenda dos Guarás, Frederico Betim encontrou a esposa de cama, febricitante, extremamente nervosa. Suspeitou de alguma doença grave, sobretudo depois que soube do excesso que dona Leonor fizera, ao voltar de Vista Alegre. Não quis, por isso, importuná-la e deixou-a estar de repouso, esse dia e o outro. No terceiro dia, Leonor levantou-se e voltou a suas habituais ocupações. Mas continuou taciturna, distraída, tristonha. Dir-se-ia que uma grande dúvida de consciência a preocupava sobremaneira; todos notaram o silêncio da patroa, e algumas escravas, estranhando seu aturdimento, murmuraram:

– Sinhá comeu cobra.

Dois dias depois de haver voltado dos Guarás, Frederico Betim mandou chamar a seu escritório o terreiro Manuel Getúlio, que deixara a fazenda do capitão Amaro Gil, e perguntou-lhe:

– Muito bem, vosmecê está certo de tudo o que me revelou?

– Como não, Sr. sargento-mor? – volveu o mulato, admirando-se da desconfiança de Betim.

– Como não? Por ventura, meu respeitável amigo, já me enganei nas outras comunicações que lhe fiz? A presença de Itaporanga, a natureza de sua missão, o nome e o número dos visitantes que iam a Vista Alegre... Não foi tudo certo?

– Sua desconfiança até me ofende, Sr. sargento-mor!

– De fato, tudo deu certo. Mas suas últimas informações são incompletas. Por exemplo: vosmecê não conseguiu descobrir como foi que o capitão Amaro Gil veio a saber do desaparecimento dos autos... Desculpe, mas desta vez vosmecê agiu precipitadamente. Não devia pedir suas contas tão depressa. Se ficasse lá mais tempo, poderia colher melhores informes...

– Ora, Sr. sargento-mor, Vossa Excelência está sendo injusto comigo. Não lhe disse eu que ouvi o capitão Amaro Gil declarar que vinha atacar sua propriedade nesta mesma lua? Esperar o que mais? Esperar que ele se pusesse a caminho, na frente de seu bando? Oh! Só se eu não fosse seu amigo!...

– Sim, mas devia ter dissimulado melhor. Sua saída precipitada há de ter criado suspeitas. Vão dizer que vosmecê estava lá como espião. Que suas temporadas, ora lá, ora nos Marcondes, ora no Cafundó, obedecem a um plano preconcebido, com intuito de lucro.

– Vossa Excelência se assossegue, Betim. Todos conhecem meu gênio andeiro. E sabem que não sou

A emboscada

firme... Meu pai já era assim e foi tido e havido como rapaz muito de bem... Além do que, aqueles Côrtes de Siqueira são uns burros e não desconfiam de nada... Agora, se Vossa Excelência não está satisfeito com minha atuação, eu vou pro Manoel Caetano.

Nesse momento, antes de Frederico Betim fazer mais indagações, uma pessoa bateu à porta, devagarinho, e disse:

– Com licença.

– Entre! – respondeu Betim, tendo conhecido a voz e os passos; e, voltando-se para o terrereiro, ordenou:

– Bem, Manuel Getúlio, o amigo pode retirar-se. Depois continuaremos o assunto.

Ao avistar o novo personagem, Frederico Betim observou:

– Espere.

E foi até a porta para verificar se Manuel Getúlio tinha saído.

– Vosmecê sabe, Antero, toda cautela é pouca. Esse sujeito é um leva e traz. E então?

– Tudo verdade, sinhô – disse Antero –, tudo verdade. O homem é mesmo o capitão Amaro Gil, acompanhado pelo Ambrósio.

Depois de ter recebido as denúncias que lhe dera Manuel Getúlio, Frederico Betim escalonara espiões em diversos pontos para vigiarem os movimentos do

Cap. Amaro Gil. Antero Siqueira, escravo de confiança, conseguira surpreender o capitão e seu escravo Ambrósio em viagem para Guaratinguetá. E isto sem ser ele, Antero, pressentido entre as moitas dos arvoredos.

– Guaratinguetá? – perguntou Betim ao escravo.

– Sim, sinhô. Fui seguindo, seguindo, até pertinho da Vila.

– Fez o serviço bem-feito, Antero?

– Então, sinhô? Duvida de minhas habilidades? Eu, no mato, sou que nem cobra... Me meto nas moitas, escorrego nos sapés, furo aqui e ali, escuto o que quero e ninguém me percebe... Sou como o caipira.

– Ah! Esquecia-me de indagar uma coisa... O que foi que escutou?

– Muita coisa, sinhô branco! A mais importante é esta: Amaro Gil volta hoje mesmo... Ouvi dizê pra o negro: "Precisamos chegar de madrugada na Vista Alegre... Vamos aproveitar a lua de hoje..."

– É a mania dele – observou Betim –; gosta de viajar de noite, como bicho do mato ou, aliás, como lobisomem.

Satisfeito com a informação, Betim encarou o negro e disse:

– Está bem. Já sei o que vou fazer. É estúpido, mas é um modo de abreviar as coisas. Antero, vá dizer ao Antenor que venha aqui.

A emboscada

Assim que o jagunço entrou, Frederico Betim, olhando-o fixo e pondo-se de pé, explicou-se:

– Não há mais dúvida, meu homem.

– Então é ele?

– Em pessoa. Mas ouça, caboclo: Ele está acompanhado. Vosmecê garante?

– Quantas pessoas?

– Duas: Amaro Gil e um negro – Antenor Silva deu uma gargalhada cínica e, vitorioso, ajuntou:

– Meu chefe, este seu criado já abateu dez de uma só vez. É verdade que foi em uma garganta da serra. Mas repare: já é ter coragem, heim!

– Muito bem – continuou o sargento-mor, pausando nas palavras e pensando o que dizia –, muito bem. Vosmecê jante e pode ir para o posto.

– Com licença, meu chefe.

O jagunço ia sair, mas notando que "seu chefe" queria ainda dizer alguma coisa, esperou.

– Marcou bem o lugar? – indagou Betim.

– Marquei. É no Alto do Gambá, ao entrar no mato. Preparei até a forquilha para descansar a espingarda. Quero dormir na pontaria. Vai ser aquela cambalhota!

– Primeiro o negro, hein?

– Patrão é besta? Primeiro o branco. O capanga ficará seguro até mesmo na faca, como fiz com o índio Itaporanga. Se escapar, é caça miúda.

– E aqui no Cafundó? Está tudo preparado? – perguntou Frederico Betim e acrescentou: – Pode ser que Amaro Gil tenha ido à Vila apenas para despistar... Não estando ele em sua fazenda, vêm seus homens, atacam minha casa, matam, depredam; e ele, depois, defender-se-á perante a justiça, dizendo que de nada sabia.

– Já pensei nisso, Sr. sargento-mor – explicou Antenor Silva –; previ o caso e preveni tudo.

– Quer dizer que os homens estão a postos para a defesa da fazenda, não é?

– Sim, e há mais. Coloquei sentinelas nas estradas... Mandei até levantar tranqueiras...

– Seu Antenor! – exclamou Frederico Betim, abraçando o jagunço efusivamente. – Vosmecê vale um batalhão! E agora, seu cabra valente, para a toca! Não vá fazer besteira...

XIII
O desastre

Dona Leonor vivia uma tragédia íntima, dessas tragédias silenciosas que geram a melancolia e, não raro, a alucinação; tanto mais tragédia quanto mais silenciosa, porque o desabafo com alguém, a confidência, o consolo externo, tudo isso lhe era proibido.

Começou a rezar muito. Fazia-se acompanhar de Catarina, e as duas iam à capelinha várias vezes ao dia e ajoelhavam-se diante da imagem milagrosa, em uma efusão de preces e suspiros.

– Reze muito por mim, dizia Leonor à mocinha, redobre suas preces, porque minha alma sofre muito. Não sei se resistirei à dor que me angustia o espírito.

Aquela tarde, quando as duas desceram do morro, já fazia escuro. Daí a pouco, porém, a lua surgiu do mato e subiu garbosa, prodigalizando um dilúvio de suavidade.

Ao brilho da lua, dona Leonor Portes observou que homens armados se postavam atrás dos cupins e nas banquetas do terreno. Estranhou esse aparato bélico, mas não quis indagar a causa. Seria capricho ou fantasia do marido, cautela ou medo?

Noite alta. O solar de Frederico Betim descansava no fundo da grota, sossegado e silencioso. A lua era fantástica. Claridade frouxa, mas diluída, emprestava às copas das árvores e ao cume dos morros formas imprecisas, de contornos confusos.

De raro em raro, um uivado de cão ou um latido de alerta. Berros de bezerros presos, grunhir de leitões famintos, cricrilar de grilos irritantes... E silêncios... Silêncios alternados com sussurros que ninguém sabia dizer de onde vinham. De raro em raro, ruflar de asas doidas, desnorteadas... Nisso consistia a essência da noite que se adiantava.

No mato, ao longo dos caminhos, podia-se ouvir as pacas roendo a casca das árvores. A distância, em sítios indeterminados, um saci ou sem-fim, pássaro misterioso, gritava de espaço a espaço, imitando as sílabas da expressão: *peixe frito!*

Súbito, o rojão de um foguete, riscando o céu, quebrou o silêncio da noite. Ao longe, muito longe, ouvia-se o tropear de uma cavalgada. O tropel se precisou, alteou-se, avolumou-se. Não havia dúvida: eram cavalos que marchavam na direção da fazenda.

A explosão da bomba do foguete, reboando na grota, despertou os guardas. Um vulto qualquer, embuçado em um xale, saiu do rancho dos bezerros, trepou na porteira e desferiu um assobio, com os dedos na boca.

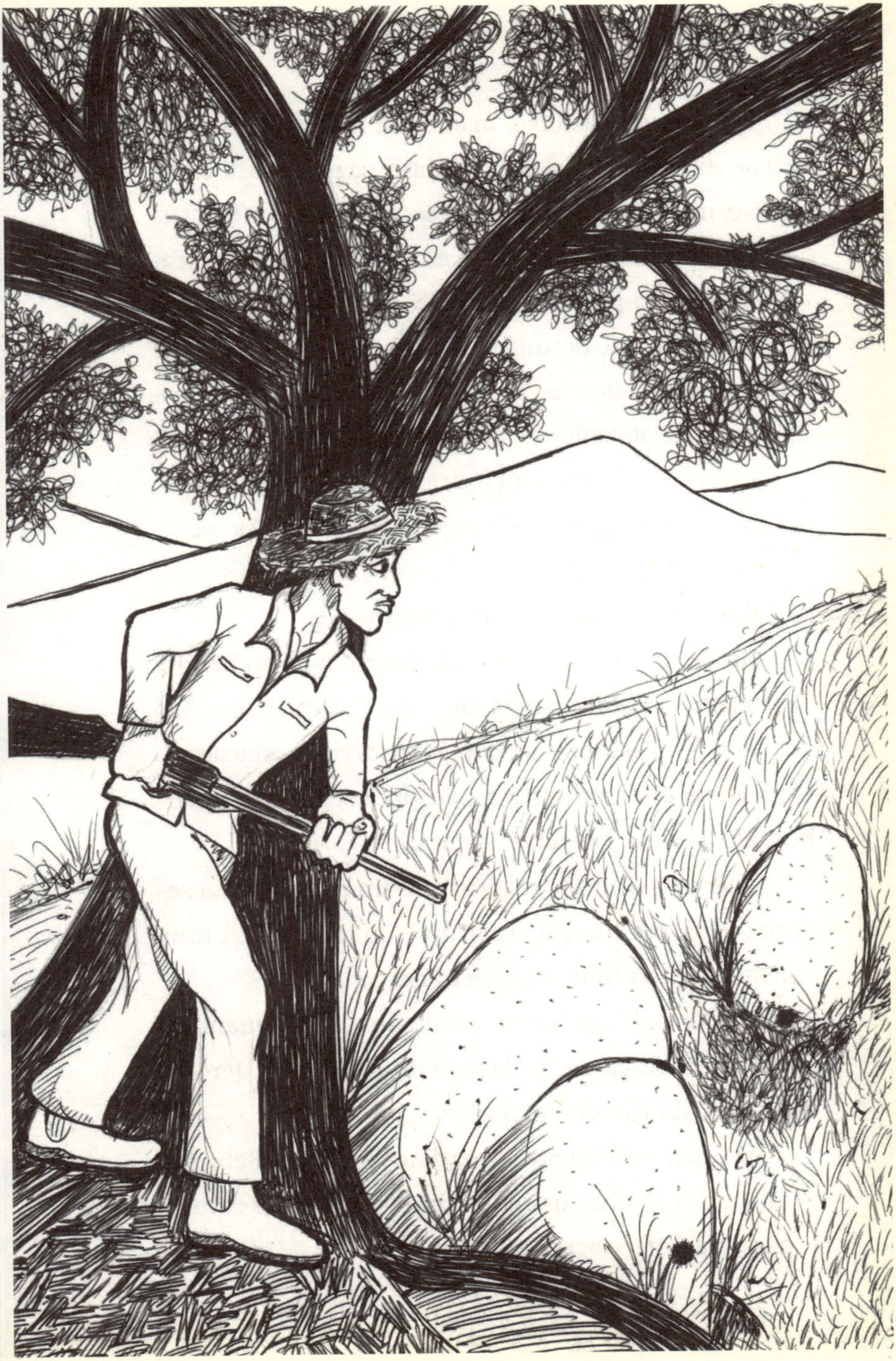

Um segundo assobio, mais curto e abafado, respondeu nos fundos da casa; depois, outro, na porteira de cima; e outro, na grota; e outros, e outros, em pontos diferentes.

O tropel se aproximava. Da claridade da lua distinguia-se, na chapada próxima, um bulcão de poeira. O alarme acordou todos que dormiam. Dona Leonor, ciente do que podia ser, supôs que seu cunhado Amaro Gil estivesse comandando os atacantes. Temeu pela vida dele e condoeu-se.

Marta e Catarina pensaram em Manuel Gil e, como de acerto, caíram de joelhos, rezando. As escravas rezavam também.

E o tropel cada vez mais próximo...

Nisso, um tiro de mosquete foi enviado ao bando. Começaria a batalha, mas, desfeito o eco do tiro, havia silêncio. Percebeu-se que os cavaleiros estacaram. Nem mais estrupido, nem, tão pouco, tinir de estribos. Havia uma expectativa geral.

O sargento-mor Frederico Betim ia ordenar o segundo tiro, em direção ao grupo, quando ouviu uma voz falseteada gritando, já bem perto:

– É de paz! Não somos assaltantes, não! Quem vai aqui é a comitiva do Sr. Dom Francisco de S. Jerônimo, bispo do Rio de Janeiro!...

– Se sois verdadeiro – bradou Frederico Betim –, venha a pé um dos vossos!... Vinde puxando o cavalo! E parai na porteira; senão, morrerá!

O desastre

Betim temia uma traição. Suspeitou que a história do bispo fosse um estratagema de Amaro Gil e preveniu seus homens de que estivessem alerta.

Mas tratava-se, realmente, do senhor bispo do Rio de Janeiro, seguindo viagem para São Paulo. O cavaleiro que se aproximou, puxando o cavalo pela rédea, era o vigário de Guaratinguetá, membro da comitiva e conhecido de Betim.

Ouvindo os latidos da cachorrada e receoso, tornou a pedir, gritando:

– Sr. sargento-mor! Segure os cães!

Nesse ponto, Frederico Betim, que já reconhecera a voz, respondeu:

– Oh! Sr. Padre Corrêa! É Vossa Reverência? Pode aproximar-se que a matilha está presa. Não tenha susto!

Após cordial cumprimento, o vigário voltou a avisar aos membros da comitiva que acabassem de chegar; e o sargento-mor, um tanto desconcertado, passou ordem aos homens da guarda, ordem, cifrada e silenciosa, de que deveriam continuar de tocaia até o amanhecer, quando, então, poderiam esconder as armas, discretamente.

Não vieram as autoridades eclesiásticas a ter conhecimento da tensão existente entre ele, sargento--mor, e seu vizinho capitão Amaro Gil.

Foi uma agradabilíssima mutação que se verificou de súbito na fazenda. Em vez de um agressor, recebia-

-se um prelado distinto. Em vez de tiroteio, sangue e gemidos, palavras amáveis, risos e bênçãos.

As luzernas foram aumentadas. As pessoas de dentro vieram para o alpendre, a espiar, curiosas, os cavaleiros que enchiam o curral, todos eles enfarpelados em vistosos guarda-pós brancos.

Daí a pouco, o senhor bispo subiu, acompanhado por dois secretários e três ou quatro cavaleiros de distinção. O resto da comitiva deixara-se ficar lá fora.

O vigário de Guaratinguetá fez as apresentações ao Sr. bispo:

– O sargento-mor Frederico Betim de Rodovalho, um dos nobres da capitania, descendente, pela linha materna, dos Toledos Pizas e Castelhanos... Sua virtuosa esposa, dona Leonor Portes del-Rei, de ilustre linhagem... Ildefonso Bicudo Betim, filho do Sr. sargento-mor, pelo primeiro casamento... São meus melhores paroquianos – concluiu o vigário, intencionalmente lisonjeiro.

– Quanta honra para mim e minha família, senhor bispo! – observou o sargento-mor.

– É uma bênção divina que desce ao Cafundó – gaguejou dona Leonor, tropeçando nas palavras.

– Tenho muito prazer em me hospedar com meus filhos esta noite – declarou Dom Francisco de S. Jerônimo.

– Só esta noite, senhor prelado? – perguntou Betim, simulando pesar.

— Sim, Sr. sargento-mor — respondeu o bispo.

— Sua Excelência Reverendíssima viaja com urgência — explicou um dos secretários — e deve seguir logo ao amanhecer; foi por motivo todo especial que resolveu portar no Cafundó.

— Fazendo uma pequena digressão — explicou o vigário —, porquanto a estrada real para Taubaté passa bem distante daqui.

— Vossa excelência, então, tem por destino Taubaté? — perguntou Betim ao vigário.

— São Paulo — volveu o bispo em vez do Padre Corrêa. — Vou conversar com os maiorais de Piratininga a respeito da instalação do novo governo. Lá embaixo se fala que a nomeação do capitão-general Antônio de Albuquerque descontentou os paulistas, e minha missão em São Paulo tem por objetivo desfazer equívocos.

— Desculpe, Sr. Dom Francisco — disse Betim —, se, por acaso, eu não for da opinião de Vossa Excelência... Mas o ato del-Rei foi acertado. A nomeação do capitão-general se impunha. Com efeito, depois do desacato que Antônio de Albuquerque sofreu no encontro de Guaratinguetá, Sua Excelência devia ser nomeado governador, ao menos para ser desagravado.

— Vejo que tenho diante de mim um homem superior — observou o bispo.

Aparecida

– Obrigado, Sr. bispo, pelo conceito que Vossa Excelência faz de mim.

– Merecido – comentou o vigário Corrêa.

– Eu me coloquei do lado do capitão-general, Sr. bispo – continuou Betim –, pois acho que a autoridade constituída deve ser respeitada. Depois, gostaria que Vossa Excelência soubesse disso, tudo não passou de uma questão de vaidade: deram ao Amador Bueno da Veiga o título de *Segundo Aclamado*, e ele ficou envaidecido. Porque se via no comando da famigerada expedição que ia combater os portugueses nas Minas Gerais, o arrogante cabo paulista foi grosseiro com Antônio de Albuquerque, representante del-Rei. Agiu mal, e seu nome passará pela história como de um homem mal-educado.

– Mas como ia dizendo – atalhou o Sr. bispo, querendo abreviar a conversa –, vou a São Paulo por necessidade. E aproveito o ensejo que se me dá: vou pregando o Evangelho e exercendo o múnus episcopal por onde passar. Assim, por sugestão de amigos, resolvi pernoitar hoje na fazenda de Vossa Excelência.

– Por causa da santinha – interveio o Padre Corrêa, explicando.

– Sim, Sr. sargento-mor – confirmou o Sr. bispo –, ouvi dizer dos muitos e estupendos milagres feito por Nossa Senhora da Conceição às pessoas que vêm venerar sua pequenina imagem, e, como devoto da Virgem San-

O desastre

tíssima e como bispo, eu não podia passar por aqui sem demonstrar meu afeto à Virgem, visitando sua capelinha.

– E dá-nos tanta honra, Sr. bispo – gaguejou Betim.

– Pois eis aí mais uma grande graça de Nossa Senhora – observou Leonor –, é ela quem traz a nossa choupana o santo e ilustrado bispo do Rio de Janeiro, Sr. Dom Francisco de São Jerônimo!

– Visita rápida – explicou o bispo. – Celebrarei missa na capelinha, logo ao romper do dia, e prosseguirei viagem.

Enquanto essas explicações iam sendo dadas, ora pelo Sr. bispo, ora por seus secretários, Frederico Betim os ia conduzindo para o grande salão de recepções. Aí encontraram mais algumas pessoas que, ao beijarem o anel do bispo, foram apresentadas:

– Marta, minha enteada e futura nora – disse Betim.

– Deus te abençoe, filhinha – falou o prelado.

– Catarina, escrava de estimação de Marta – disse Leonor, empurrando a mulatinha para frente, a modo de apresentação.

O bispo do Rio de Janeiro, em suas visitas pastorais e excursões, nunca tinha visto ser-lhe apresentado escravo ou escrava. O gesto de dona Leonor, impensado e novo, criara, pois, uma situação de embaraço para o bispo e os presentes. Notando o constrangimento, o vigário Corrêa ensaiou uma tentativa de explicação:

— Senhor bispo, esta mocinha tem exercido verdadeiro apostolado na paróquia: ensina catecismo, promove comunhões e conserta desavenças. A própria capelinha foi construída graças a seus esforços, conjugados com os de sua sinhazinha, Marta.

— Nossa Senhora lhe há de dar o Céu — prometeu o bispo, um tanto cerimonioso.

— Amém — comentou Catarina, contentíssima —, pois é para isso que eu trabalho, Sr. bispo.

— Mocinha... — chasqueou Betim, entre dentes, aludindo às palavras do vigário Corrêa. — Era o que faltava... Chamar mocinha a uma escrava... O reverendo já está com o miolo mole.

Em seguida, o vigário fez uma vênia para seu superior hierárquico e, saindo:

— Com sua permissão, Sr. bispo — disse ele.

Tocou no ombro de Ildefonso Betim, à maneira de convite, e ambos se encaminharam até o alpendre.

— É que, Sr. Betim Filho — explicou o Pe. Corrêa, a meia-voz —, eu preciso de um homem de confiança para ir a Taubaté.

— Hoje mesmo, Sr. Vigário? — perguntou Ildefonso Betim.

— Agora mesmo, meu filho — tornou o padre —; preciso de alguém que vá levar ao vigário de Taubaté uma carta minha em que comunico às autoridades

O desastre

civis e eclesiásticas a passagem por ali, amanhã ou depois, do Sr. bispo diocesano.

– Coisa fácil, Sr. Pe. Corrêa – afirmou o moço, pondo a mão no queixo.

– Em minha comitiva – esclareceu o Pe. Corrêa –, não há ninguém, porque nenhum de nossos companheiros conhece o caminho de atalho. E você sabe, pela estrada real, que ficou tão longe daqui, o portador da carta não chegaria a tempo. Ora, entendo que o Sr. bispo deve ser bem recebido. É a primeira vez que visita esta zona...

– Sr. vigário – perguntou Ildefonso Betim –, será que eu sirvo?

– Mas é muito sacrifício, meu filho.

– Nenhum, Sr. Pe. Corrêa. Com um luar deste, é até um prazer... E depois, conheço um atalho que encurta duas léguas... Precisa passar pela fazenda de Vista Alegre... É verdade que o dono das terras, o capitão Amaro Gil, não gosta que pessoas estranhas frequentem essa estrada... É caminho particular, privativo da família... Mas eu tenho permissão do dono... Amaro Gil é meu amigo... Por isso, como se trata de urgência, acho bom que vá eu mesmo... Além disso, tratando-se de um obséquio a ser prestado ao Sr. bispo diocesano, prelado tão distinto...

– Pois Deus lhe dará a devida recompensa, Sr. Ildefonso. E, se precisar de um cavalo arreado e de um bom camarada, tem aí no curral.

– Obrigado, Sr. vigário – volveu Ildefonso –, tenho meu cavalo de cocheira, que está descansado. E quanto a camarada, papai não gosta que eu viaje em companhia de estranhos... Levo um escravo de confiança.

Daí a pouco, dois cavaleiros aprumavam pela encosta acima, montando seus fogosos corcéis, peitudos, manga-larga. Como a noite era fresca e clara, a marcha lhes rendeu apreciavelmente, e eles ganharam o chapadão por onde passava o caminho particular de Vista Alegre. Tomaram esse caminho, e desapareceram logo, entre as sombras do capinzal.

Voltando ao salão, Pe. Corrêa encontrou o Sr. Dom Francisco de S. Jerônimo em animada palestra com o sargento-mor, porque este era homem de boa prosa, pitoresco, vaidoso e desembaraçado. Gostava de mostrar aos hóspedes graduados que também na roça há quem saiba conversar sobre qualquer assunto.

As outras pessoas, sobretudo os secretários do bispo, aparteavam de vez em quando, lembrando pormenores da viagem. Mas Betim era quem mais falava. Dona Leonor, essa tinha saído por uns instantes e fora providenciar as camas para os hóspedes. Tornando ao salão, toda prestimosa, anunciou:

– Os leitos estão compostos, mas pode ser que o Sr. bispo tome alguma coisa antes de se recolher...

— Obrigado, minha filha — agradeceu o bispo, e acrescentou: — Como estou fatigado, prefiro ir para a cama.

Olhando, então, em derredor, Frederico Betim disse para dona Leonor:

— Não vejo Ildefonso, Leonor. Mande chamá-lo para vir desejar a boa noite a nosso respeitável hóspede, o Sr. bispo.

— Não está, Sr. sargento-mor — interveio o Pe. Corrêa, explicando a ausência de Betim Filho —; saiu.

Frederico Betim despediu-se do prelado, beijando-lhe o anel, de joelhos, e, dirigindo-se à saleta de espera, fez sinal ao Pe. Corrêa para que o seguisse.

— Vossa Reverendíssima acaba de dizer que Ildefonso...

— Saiu, Sr. sargento-mor, eu precisei de um mensageiro de confiança para ir a Taubaté... E como seu filho é o modelo dos jovens gentis e serviçais...

— Ofereceu-se para ir, não é, Sr. vigário?

— Justo!

— Amanhã cedo?

— Hoje. Esta noite.

— Mas que rapaz imbecil! — observou o sargento-mor. — Sim, uma cavalgadura! Oferecer-se para viajar a esta hora! É um palerma... Com certeza está a sair, não é, Sr. vigário?

— Já saiu, Sr. sargento-mor — explicou um escravo que ouvia o diálogo.

– O quê!... gritou Frederico Betim.

– Saiu, sinhô. Saiu há coisa de uma hora – insistiu o africano.

– Disse o caminho que ia seguir? Disse?

– Sinhô, sim: chapadão, atalhando por Vista Alegre, pelo caminho particular do capitão Amaro Gil.

– Que horror! – exclamou Betim, levando as mãos à cabeça.

Ato contínuo, lembrando-se de que sua extemporânea exclamação poderia denunciá-lo junto aos presentes, o sargento-mor voltou-se para o vigário e explicou:

– Aquela estrada é assombrada, Sr. Pe. Corrêa!... Assombradíssima! Aquilo é um ninho de infestações diabólicas... É um horror!

E caminhando para o alpendre, com uma resolução na mente, Betim ia repetindo de si para si:

– Mas que rapaz imbecil!... Sim, imbecil até a medula dos ossos: Jumento total. Por dentro e por fora!

Em seguida, a modo de desculpa perante sua própria consciência, e suspendendo a voz:

– Também, quem manda ser idiota? Sua alma, sua palma... Lá se avenha.

O vigário Corrêa, atendendo ao chamado de dona Leonor, acompanhou o prelado ao aposento que fora reservado a este e, logo depois, acomodou-se com os outros companheiros em um quarto comum.

O desastre

Enquanto isso, Betim havia descido ao curral, apressadamente. Apareceu no plano da grande área do curral, extremamente nervoso. Inspecionou os ranchos. Havia cavalos por ali, mas desarreados.

– Antero Siqueira! – vociferou Frederico Betim, com voz trêmula – Vosmecê!

– Sinhô – atendeu o escravo.

– Sele um cavalo desses... E vá, a toda brida, atrás de Ildefonso... Trate de impedir que ele prossiga a viagem... Mas, depressa, negro à toa!

Em seguida, refletindo um pouco:

– Não! Venha cá! Não precisa arrear o cavalo... Vá em pelo mesmo... Ponha um barbicacho no animal e monte... Vá de galope! É urgente!... Alcance aquele menino estouvado...

O negro conhecia as ordens de Frederico Betim, pelo tom de voz e pelas reticências habituais... Quanto mais reticência, tanto mais império. Obedeceu.

– Escute, negro! – berrou o enfezado fazendeiro. – Escute! Galope, hein! Se aguar o cavalo, não faz mal... Está pago!...

O negro ia abrindo a porteira, quando Frederico observou:

– Vosmecê tem de alcançar sinhô moço antes do Alto do Gambá... antes da boca do mato... Ouviu? Antes do Alto do Gambá... Antes da boca do mato...

Que ele volte... Não quero que Ildefonso vá a Taubaté... São coisas!...

– E se negro não alcançar sinhô moço? – perguntou Antero.

– Negro morre de pancada! – sentenciou Frederico Betim.

O escravo bateu a porteira e deu rédea à cavalgadura. Atravessou a estrumeira do pasto pequeno... Tomou um trilho traçado pelos passos do gado. Subiu a encosta e ganhou o chapadão. De galope.

O gado leiteiro, deitado pacificamente sob as árvores grandes, estourou ao ruído do cavaleiro em disparada. Interrompendo sua filosófica mastigação, as vacas alçaram as cabeças, chocalhando chifres e pinchando coices, ladeira a baixo.

Mais adiante, o ágil corcel quase pisou um curiango que ululava no caminho... Crinas ao vento, o animal respirando miúdo, bufando, na carreira desabalada. De vez em vez, parecia dar sinal de querer trocar de passo mudando para trote... Mas o cavaleiro, como um demônio, fustigava-o nervosamente, estralando o chicote, e o galope prosseguia com fúria.

Na calada da noite, o prá-cá-tá reboava nas grotas; e, ao clarão suave do luar, o vulto desse binário vertiginoso, cavalo e cavaleiro, era uma sombra incerta na fita dos caminhos.

O desastre

Daí o pedaço, a estrada de Vista Alegre começou a serpentear... Depois, desceu, para contornar o morro...

Antero sofreu, de súbito, o cavalo... Apeou. Ato contínuo, deitando-se no chão, pôs-se a auscultar o terreno, como a querer surpreender a pulsação da terra. E ouviu... Distinguiu, perfeitamente, o tropear das patas de cavalos... Concluiu que os cavaleiros, quem quer que fossem, deviam ir perto.

E teve uma ideia. Sabia que a estrada era tortuosa e cheia de *zigue-zagues*. Portanto, abandonando esse itinerário e seguindo uma linha reta pelo morro acima iria descer na mesma estrada mais adiante, atalhando meia légua pelo menos. E alcançaria os cavaleiros justo no começo do Alto do Gambá, antes do capão onde Antenor Silva tocaiava... Pensando assim, Antero pulou de novo, ágil como um boneco de engonços, para cima do cavalo. Novo galope... Novo arranque, e a estrada vai ficando para trás, distante.

O cavalo deu sinal de estar frouxo... Antero, porém, tinha tomado uma resolução: se o cavalo afrouxasse, ele, Antero, continuaria a corrida, a pé, certo de que havia de chegar a tempo.

Em uma cintilada de relâmpago, quebrando arbustos, machucando a relva, devorando o capinzal, ei-lo que foi! Descendo, agora, a lombada cascalhenta, sempre em linha reta, Antero tornou a ganhar a estrada que abandonara antes.

E aqui não foi preciso apear para colar o ouvido ao chão. Aliás, seria inútil... Porque Ildefonso Betim e o camarada já haviam passado! Foi disso que Antero se certificou, ao perceber dois vultos ao longe, à distância de meio quilômetro, quando muito. Mas o capão de mato estava aí, como uma sombra silenciosa, engolindo o caminho.

Antero galopou ainda, em uma derradeira tentativa. Pequena distância o separava de Ildefonso Betim. Pensou em assobiar... Pensou em dar um grito de aviso... Seria pior... A essa hora, e nesse deserto, seria uma espécie de incitamento para os dois cavaleiros apressarem ainda mais a marcha em que iam.

Enfim, Antero alcançou a orla do mato... O aspecto da noite era, agora, diferente. Era mais fantástico. Ildefonso Betim foi perto... Ouvia-se, até, a tropeada dos cavalos em que iam ele e seu companheiro. Mas um estrondo parte do interior da selva... Era um estampido forte, cheio, caudaloso, que abalou as moitas vizinhas e foi ecoando pelos grotões em ondas alternantes...

Ruflar de asas agitou, em seguida, as folhas das árvores, que dormiam. E um animal qualquer atravessou a estrada, na frente de Antero, fugindo espavorido, como se fosse uma paca ou um cachorro do mato.

Mas ainda não se tinha apagado o eco do estampido ensurdecedor, e um segundo tiro, também assombroso, reboou no coração da selva. Antero, atordoado, estirou-se sobre o pescoço do cavalo, em um instinto de defesa e, dando um soco no cabo do cabresto, interrompeu a marcha.

Nesse momento, precisamente, um cavalo sem cavaleiro vinha vindo a seu encontro, bufando espantadiço, em trote acelerado e sem ritmo. Antero observou rapidamente o animal e reconheceu: Era o cavalo de cocheira de Ildefonso Betim, filho de seu senhor...

Antenor Silva, que esperava a Amaro Gil para o matar a soldo de Frederico Betim, acabava de cumprir sua missão. E não errou o tiro. Apenas errou o alvo, porque o vulto que primeiro surgiu na boca escura do mato não foi Amaro Gil, mas o filho de Frederico Betim... Erro de pessoa apenas.

XIV
Os fazedores do Brasil

Seria difícil descrever o estado de espírito de Sebastião Gil Côrtes de Siqueira depois de sua entrevista com dona Leonor Portes del-Rei. Decepção ou desaponto são termos incolores para exprimir a atitude mental de quem não esperava mais nada na vida; de quem, ao cabo de aventuras e martírios, encontrava, em vez de recompensa, o desprezo; em vez de carinho, repulsa; em vez de Tabor, Calvário.

Desolado, vazio, mas aceitando o fracasso com resignação, ele se afastou lentamente do alpendre, do curral, dos domínios da fazenda que pertencia hoje a sua mulher. Lentamente, trôpego, arrastando as botas. Trazia na retina a imagem da filha... Como Marta se tornara encantadora, ao atingir a puberdade! Ela, tão franzina outrora!

Sebastião Gil devia tomar uma resolução qualquer. Sertão outra vez? Sertão, como sugeria Leonor? Mas sertão significava cobras venenosas... Sertão significava mosquito de malária... Significava traição de índios... Significava pantanais impraticáveis e florestas impenetráveis... Era horrível pensar que deveria sofrer novamente a tragédia do sertão!

Aparecida

Pedro Álvares Cabral descobriu o Brasil. Mas quem fez o Brasil foi o bandeirante. Ou, melhor, foi uma única família, porque os troncos dos Prados, dos Lemes, dos Veigas, dos Betins, dos Barbosas, dos Arzões, dos Toledos Pizas, dos Castanhos Taques e dos Buenos de Siqueira, que são distintos no século dezesseis, entrelaçam-se em uma só família, no século seguinte, por via de casamentos.

Em uma arrancada incontida, rumo ao desconhecido, esses homens destemidos palmilharam quase todo o continente sul-americano. Dois deles galgaram, cada um a seu tempo, a Cordilheira dos Andes e foram morrer no longínquo Peru; chamou-se Antônio Castanho da Silva, o primeiro, e Luís Pedroso de Barros, o segundo. Francisco Ribeiro de Morais, depois de longas caminhadas, foi acabar seus dias no sertão dos Guaiás. Martim Rodrigues explorou a região que se estende para além de Paracatu, a qual ainda hoje permanece alheia aos benefícios da civilização. Brás Gonçalves descobriu o planalto dos Araxãs, onde faleceu. Custódio Gomes, explorando o litoral, foi até o sertão dos Patos, no atual Rio Grande do Sul, aonde também chegou, por via terrestre, o bandeirante Pascoal Neto, da bandeira de Antônio Raposo Tavares. Manuel Preto, com seu genro Jerônimo Bueno, desbravou as matas do Mato Grosso. Por fim, Sebastião Pais de Barros, varando terras inóspitas, foi dar consigo às margens do legendário Tocantins, no atual estado do Pará!

Espantoso! Qual foi o grotão deste infinito Brasil que não tenha servido de túmulo à ossada de algum destemido aventureiro, nascido no planalto de São Paulo ou no Vale do Paraíba?

Não há dúvida. Quem fez o Brasil, grande como é, foi o bandeirante. Mas Sebastião Gil estava cansado de ajudar a fazer o colosso. Sua alma pedia repouso, seu corpo pedia uma rede, como descendente direto de Tibiriçá e de Pequerobi.

Sugestão das estradas... Carreiro que se perde na selva murmurosa e sombria. Trilho meio apagado que contorna um morro, e desce em um córrego, e serpeia na caatinga. Setas ou dedos apontando o infinito, riquezas... felicidades...

Basta! Sebastião Gil Côrtes de Siqueira estava cansado de ajudar a fazer o Brasil. Nada o atraía mais para o sertão... A estrada não o seduzia mais. Não via mais convites ou sugestões no sem-fim dos trilhos.

Pensou em ir procurar seu irmão Amaro Gil e pedir-lhe uma hospedagem, um encosto, uma ocupação, para viver, incógnito, o resto de seus dias... Pensou também em apresentar-se a Amaro Gil para uma simples visita em que se matam saudades... Depois de alguns dias de doce recordar, aproveitaria uma noite de luar sugestivo, cairia de novo na estrada e afundaria no sertão bravio, para nunca mais aparecer!...

Nada, porém, assentado em definitivo... A dúvida e as perplexidades mais dolorosas lhe agitavam o espírito, habitualmente tão calmo. Foi neste estado de espírito que ele demandou Vista Alegre. Ei-lo que foi, taciturno, cabisbaixo, com o coração curtido na desgraça e a mente enfarada de aventuras.

Antes, porém, de se dirigir para Vista Alegre, veio-lhe o desejo de ir visitar sua antiga fazenda dos Guarás, que havia passado a outros "proprietários". Lá esteve, com efeito. Viu o extenso pasto de capim nativo, agora crivado de casas de cupim, entre as quais pastavam algumas vacas crioulas, magras e empestadas, mas resignadas aos bicos dos gaviões e anus que lhes catavam os carrapatos do pelo.

Chegou ao curral e gritou:
– Oh de casa!

Ninguém lhe respondeu. Silêncio, apenas perturbado pelo ressonar de um cão rafeiro que não percebeu os passos do recém-chegado.

Mantendo-se a distância, Sebastião Gil teve tempo de revocar à memória os dias longínquos de sua mocidade, decorridos naquela pequena área do mundo. Crescera ali. Fizera-se moço ali. A ambição de ser grande, de descobrir terras, de alargar o Brasil, de afastar para longe as fronteiras do sertão, apontara em seu peito um dia em que se vira empoleirado em uma das árvores do pasto e contemplara ao longe a amplidão do céu, das campinas, do mundo. Fora ali que lhe viera ao coração a primeira pontada da inquietude, quando, em uma noite de São João, conhecera a jovem Leonor Portes del-Rei, exuberante de mocidade e de encanto. Depois, o casamento. E a instalação de seu lar, aí mesmo, ao lado de seus pais Miguel Gil de Siqueira e Antônia Furtado. Quanta felicidade! Um dia a casa se encheu dos vagidos de Marta, recém-nascida. Depois, com o tempo, a pequena começou a sorrir, a falar, a pular, a encher a existência de seus pais.

Mas um dia, também, saíra o féretro de Miguel Gil, pouco depois acompanhado pelo da esposa. Nessa época, já os filhos do casal tinham tomado rumo... E Sebastião Gil, pensando melhorar a sorte, empreendera a maldita viagem do sertão.

A vida do homem é uma soma de acontecimentos passados, ideias e coisas acumuladas na memória. Nossa vida está inteirinha nesse departamento da alma. Recordar é, pois, intensificar a vida e viver duzentos anos no espaço de cinquenta. Porque a vida é o passado, é o que já foi. O momento presente, de reflexão ou de gozo, é o último de uma grande série que está indo, que está indo...

Meio abstraído, meio comovido ante o silêncio das coisas e não tendo sido atendido, Sebastião Gil secundou o chamado:

– Oh de casa!

Seu grito despertou o cão, que se pôs a latir, fanhosamente. Temendo uma agressão, o caminheiro trepou na porteira, por instinto de defesa. Com o latido do cachorro, apareceu o administrador da casa, um velho grisalho, usando óculos e alpercatas.

– Pode descer, amigo – advertiu ele, dirigindo-se a Sebastião Gil –, o cachorro é manso. Late só. Não morde. É um coitado.

O visitante desceu, imediatamente, e manifestou seu desejo:

– Sou um dos filhos do falecido Miguel Gil. O Sr. compreende; tenho saudades desse rancho. Foi aí que mamãe se lembrou de me botar no mundo. Saí dessa casa para a vida. Volto hoje quase morto.

– Não parece, observou o velho. Vossa Senhoria está vendendo saúde. – E continuou: – Pois entre, mas não repare no desarranjo. A patroa saiu, e eu não tive tempo de varrer a casa. Fui tratar da criação, e o amigo sabe o que é esta vida de roça.

O bandeirante entrou. Pesado silêncio invadiu-lhe a alma, em todas as suas dependências, e ele percorreu todos os cômodos da casa, piedosamente,

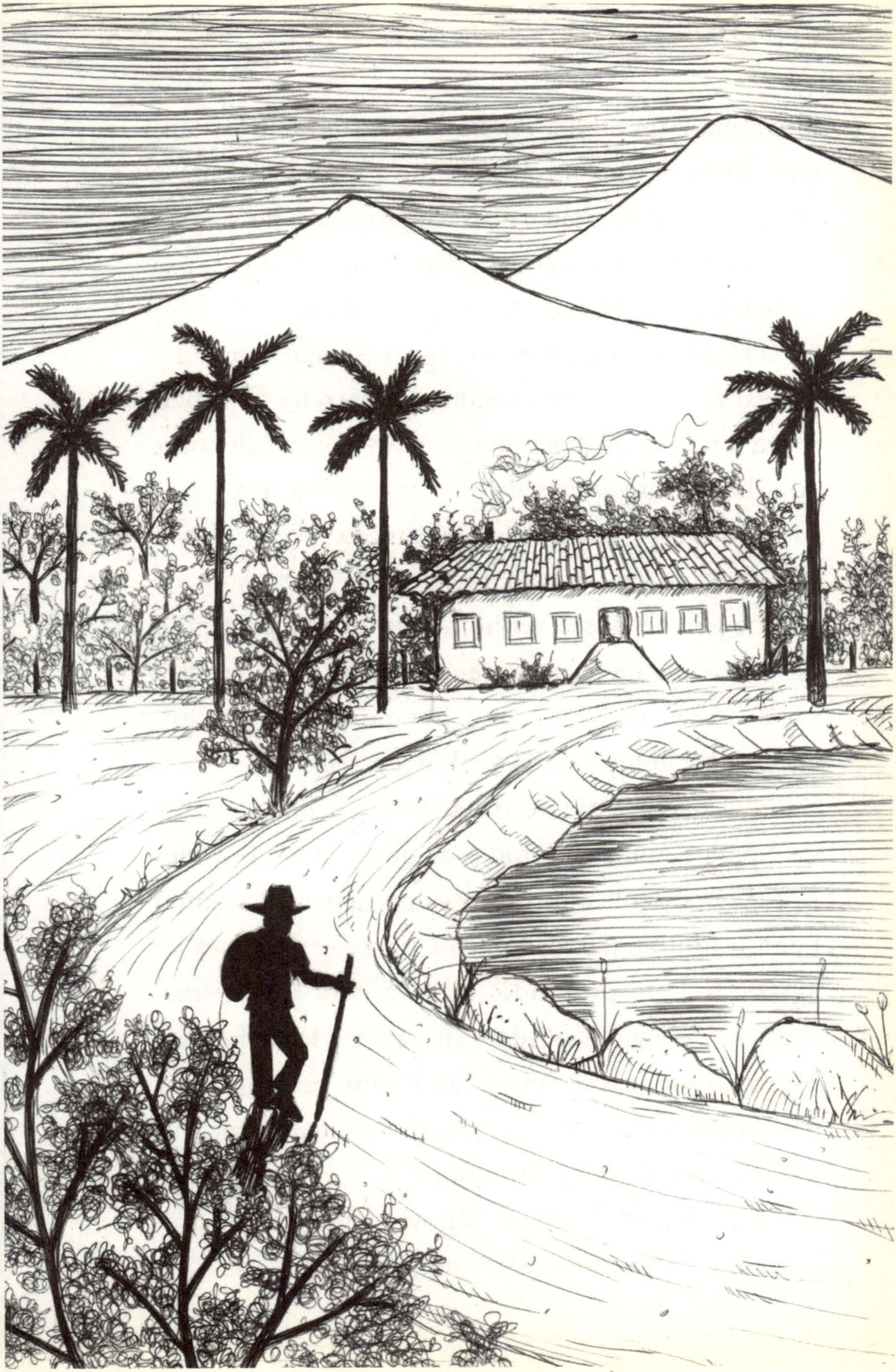

olhando, observando, reparando. Estranhou não encontrar os móveis no mesmo lugar em que os havia deixado, o leito de seu irmão Amaro Gil, a mesa sobre a qual seu pai acolchoava, à noite. Faltava o riso de sua mãe, faltava o choro de Marta pequenina...

Quanto ao mais, tudo era igual. Só que as paredes estavam mais estragadas agora, e a parreira que encimava a verga da janela de seu quarto secara de todo. Aranhas teciam arabescos nos cantos silenciosos, e os móveis viam-se cobertos de pó e mofo.

Dirigiu-se ao quarto do oratório. Tinha saudade da imagem de Nossa Senhora, que o havia protegido visivelmente, na longa ausência, livrando-o das garras dos animais carniceiros, livrando-o dos precipícios e dos atoleiros. Visceralmente religioso, Sebastião Gil tivera a mente voltada para a imagenzinha de Nossa Senhora em todas as peripécias e lhe fizera preces ardentes, nos transes perigosos. Pensando bem, o fim de sua visita aos Guarás era um ato de agradecimento profundo. Não só isso. As circunstâncias lhe haviam criado uma existência vazia e um caminho sem rumo. Vinha, portanto, pedir a Nossa Senhora uma clareira no espesso da selva e uma saída no cipoal da nova situação.

Mas um contratempo. Não viu a imagem. O oratório estava deserto. A Santa emigrara.

— Para onde levaram a nossa protetora? – inquiriu Sebastião Gil.

— Vossa Senhoria, então, não sabe? – disse o administrador; e explicou: – A viúva de Sebastião Gil casou de novo e, mudando para o sítio do Cafundó, carregou a imagem.

— Tem certeza, meu velho? Tem?

— Vejo que estou falando com um caminheiro. Nossa Senhora da Conceição tem atraído a si, desde o alto de sua capelinha, devotos de toda parte. Ninguém ignora isso.

— De qual capelinha?

— Da fazenda do Cafundó. Dona Leonor mandou construir uma igrejinha... A imagem está melhor lá do que aqui. Pode crer.

Ligando os acontecimentos, Sebastião Gil lastimou a transferência da imagem. Viu nisso uma profanação. Encarando, então, o oratório vazio, resolveu ajoelhar-se e orar. Orar com fé. Nossa Senhora não o abandonara no sertão distante. Não o iria abandonar agora.

Deve ter feito uma oração profunda a que ele balbuciou, de olhos fechados, nesse mesmo local onde sua mãe lhe ensinara a rezar. Pediu repouso. Pediu paz. Pediu, quando menos, o descanso da sepultura para seus ossos esmoídos e a quietude do céu para sua alma decepcionada da vida.

Pouco depois, levantou-se e continuou a visitar a casa. Foi ao quintal. As mesmas árvores. Estranho! Ele e elas haviam nascido quase juntos e crescido ao mesmo tempo. Mas ele envelheceu, e elas, não. Estavam verdes como outrora. Que diferença de sorte! Ainda se via, ao pé do poço, o pessegueiro em que pousavam os sanhaços, de manhã, cedo, mortificando as frutas.

Lá ao fundo corria o ribeirão, entre canas e lírios de São José. Sebastião Gil teve desejo de banhar-se naquelas águas sagradas... de subir naquelas mangueiras frondosas, por meio de cordas... de verificar os cata--ventos erguidos nas laranjeiras...

Mas lembrou-se do reumatismo das pernas e do cansaço do corpo, que esquisitice de desejo! Ele, um homem feito! Um senhor respeitável! Voltou ao terreiro. Entrou pela porta da cozinha e saiu precipitadamente no curral fronteiro por onde havia entrado. Tinha uma vontade imensa de chorar. Foi por isso que atravessou a casa de fundo a fundo, quase correndo. Mas não chorou. Conteve-se.

XV
Sacrilégio

A Missa que Dom Francisco de S. Jerônimo, Bispo do Rio de Janeiro, celebrou, de manhã cedinho, no altar de Nossa Senhora da Conceição, teve um cunho de puro misticismo. O silêncio da hora, o bucolismo do local e a devoção da assistência comoveram até as lágrimas o piedoso bispo. Após a cerimônia, S. Excelência depôs os paramentos e foi fazer sua ação de graças. Ao contemplar a perfeição escultural da imagenzinha, postada em seu pequenino nicho de madeira, exclamou:

– Benza-a Deus!

É a fórmula da bênção consagrada pelo povo para as crianças, para as plantas, para os passarinhos, para as coisas ternas e delicadas. Houve algumas comunhões. Catarina e Marta estavam entre as pessoas que se aproximaram da sagrada mesa.

O Sr. Bispo aprestou-se para continuar a viagem, mas, enquanto preparavam um ligeiro almoço para S. Excelência e sua comitiva, valeu-se da espera e ministrou o sacramento da crisma a alguns fiéis, brancos e pretos.

Quando o piedoso pastor, agradecendo a hospedagem, despediu-se do sargento-mor, este se lhe recomendou suas preces, em termos misteriosos:
— Reze por mim, Sr. bispo. Passei uma noite de cão... Muita dor de cabeça... Náuseas... Insônia. Foi por isso que não compareci à Santa Missa.

Eram dez horas do dia. Frederico Betim não estava mentindo. É verdade que ele não acreditava no poder da oração, mas fazia um esforço supremo para crer, para ter paz, para conseguir a proteção divina, porque sofria horrores.

Pensando no que poderia acontecer a seu filho, na viagem para Taubaté, e estando quase convencido de que o escravo Antero não o alcançaria a tempo de salvá-lo da emboscada, Betim passou a noite em claro.

Ora no quarto, ora nos corredores, ora no alpendre, ele vagava como um sonâmbulo, olhando a lua, mirando as sombras, ouvindo os silêncios, supondo as coisas mais absurdas.

Sobreveio-lhe a dor de cabeça, com pontadas, ânsias e delírios. Tinha, impensadamente, premeditado a morte de um chefe de família e agora pasmava ante a suposição de que seu filho seria a vítima.

Infelizmente, todos os horrores que caíram sobre sua consciência, durante essa noite de insônia, foram uma antecipação da realidade negra, catastrófica, aniquilante. Às onze horas do dia, Antero estava de volta, mais morto do que vivo. Ofegante, aflitivo, temeroso, caiu aos pés de Frederico Betim e murmurou:

– Sinhô! Pode matar-me de pancada. Fiz tudo para salvar sinhô moço, mas tudo foi inútil. Deus nosso Sinhô dispôs de outra maneira. A culpa não foi minha...

E contou-lhe a tragédia noturna do Alto do Gambá, a cena macabra e horripilante. Ildefonso Betim recebera uma carga de chumbo grosso pelas costas e caíra fulminado, esguichando-lhe o sangue às golfadas, sangue espumante, vivo, morno. Um segundo tiro inutilizou o camarada, deixando-o agonizante. Antero Siqueira referiu tudo, pormenorizadamente, com gestos e detalhes pitorescos.

Frederico Betim sofrera por antecipação a dor extrema, a dor que a imaginação exaltada aguça além da realidade. Parecia que não teria mais capacidade de sensibilidade, porque o coração de pai, pressagioso, contara-lhe tudo. Mesmo assim, ao receber a confirmação da brutalidade do destino, ficou atônito.

Seu primeiro sentimento foi de pasmo, de estupor, de fuga mental. Embrutecimento. O ritmo cardíaco tornou-se-lhe vagaroso. O raciocínio fugiu-lhe. Amnésia momentânea, mas total, seguiu-se uma queda dos batimentos cardíacos. Esqueceu tudo, até o nome do filho, até a palavra filho...

Depois, pouco a pouco, começou ver as coisas, os portais, o curral, o gado, o escravo e teve conhecimento nítido de sua situação infernal... estava arruinado!

Então, pondo as mãos na cabeça, desatou um choro selvagem, agudo, impressionante, que espantou os próprios cães da fazenda: Era uma espécie de grito animalesco, um tanto de uivado, um tanto de rugido, mas sem lágrimas, seco, sufocante, com engulhos como de quem morre estrangulado.

De vez em quando, baixando a voz, confuso, anelante, o pobre homem bufava pelo vão dos dentes alguma coisa insuficientemente articulada, que queria dizer isto:

– Ildefonso! Ildefonso! Acabou!

Vinha em seguida um momento de repouso, de relaxamento dos músculos e dos nervos. Mas a crise se exacerbava de novo, atingindo o paroxismo do desespero.

Foi durante uma dessas crises que Frederico Betim viu aproximar-se o matador de seu filho. Ambos se fixaram com olhos parados, indagadores de uma intenção. Pareciam ter medo um do outro, como dois inimigos, igualmente armados e valentes, que se encaram no centro da arena.

Antenor Silva foi o primeiro a romper o silêncio:

– Houve um pequeno equívoco, Sr. sargento-mor...

Betim estremeceu, produzindo um grito afiado, tonitruante, que abalou a casa.

– Ban-di-do!

– Eu, bandido? – perguntou Antenor Silva, cinicamente. – Bandido, eu? Mas bandido, por quê? Não foste tu, Frederico Betim, que me mandaste atirar no primeiro que passasse? Eu, bandido? Mas uma ferramenta não pode ser criminosa quando é manejada por alguém. Esse alguém é que é criminoso ou bandido. Eu agi passivamente, como ferramenta; tu, ativamente, como o artífice. O pensamento foi teu. Só a ação é que foi minha. Mas o pensamento precede a ação e dá-lhe corpo. Se houve bandido nesta ação, por certo que não fui eu.

Frederico Betim caminhou para o assassino e, apontando a estrada, que se avistava pelo vão da porta, rugiu:

– Para fora, assassino!...

Antenor Silva esteve firme, impassível, olhos fitos no sargento-mor. Os dois iam atracar-se, em uma tentativa de estrangulamento, para última solução do caso. Nesse momento, a sala já estava cheia de homens armados, prontos para entrar em ação. Percebendo a atitude de alguns deles, que estavam para saltar sobre o assassino e algemá-lo, Frederico Betim os conteve, dizendo:

– Deixai-o!

Antenor Silva de Santana, ensaiando um riso que lhe morreu nos cantos da boca, gaguejou:

– Betim tem razão. Eu errei. Um oficial não pode ignorar as normas de sua profissão.

Dizendo isso, foi deixando vagarosamente a sala e desceu a escada do alpendre, atravessou o curral, fez ranger a porteira na coiceira e desapareceu ao longe, na curva do caminho.

***

Faltou, nessa ocasião, alguém que exercesse sobre Frederico Betim uma ação benéfica, sedativa, acalmadora, porque seu desespero raiava pela loucura; sua irritação era extrema.

Trêmulo, dedos crispantes, barba desgrenhada, olhos girando nas órbitas, ele entrou no quarto de dormir e, não encontrando a esposa, indagou:

– Onde está Leonor Portes del-Rei? – Era assim que tratava a mulher nas crises de arrebatamento.

– Na capelinha – respondeu Marta, julgando que a presença de sua mãe pudesse consolar o padrasto.

– Está visto – observou Betim, indignado. – Vive a rezar, e a reza não vale nada.

– Devo chamá-la? – perguntou Marta, prestimosa e tímida.

– Não! – volveu Betim, áspero e irado. – Não precisa. Para o que vou falar, na capela é melhor. Ninguém nos acompanhe.

E saiu, ralhando os dentes de raiva e mostrando nas contrações do rosto uma figura de condenado.

Dona Leonor previra uma tempestade moral para quando o Sr. bispo do Rio de Janeiro se fosse embora. Tinha notado a inquietação do marido durante a noite. Percebera, claramente, que Betim a encarava com ódio, com indignação e ameaças.

Ignorava, é certo, os motivos da atitude agressiva de seu marido, mas, por isso mesmo, ficou receosa de uma explosão de ódio, na primeira oportunidade. Ficou certa disso e esperou, resignada, o desabar da procela.

Assim, almoçou parcamente e, sob pretexto de ir guardar as alfaias e varrer a igrejinha, para lá se dirigiu em companhia de Catarina. De Catarina só.

Na realidade, o que ia fazer era rezar. Pedir a Nossa Senhora paz, sossego, repouso. Chegou a pensar que, em sua situação de impasse moral, a melhor solução seria a morte. E foi disposta a pedir a Deus a morte, se isso aprouvesse à Majestade Divina.

Estava de joelhos, ante a imagem de Maria Imaculada, orando, murmurando desejos. Parecia abstrata e olhava para a imagem com tanta atenção que não percebeu os passos do marido.

– Mulher! – chamou Frederico Betim, aproximando-se.

Leonor olhou para trás e, vendo quem era, levantou-se. Também não teve ilusão nenhuma quanto ao estado psíquico de Frederico Betim. Aquele olhar irascível, aquele aspecto selvagem, aquela palidez do rosto, aquela crispação e tremor das mãos e dos dedos, tudo aquilo denunciava uma tempestade íntima que lhe sacudia os nervos.

Leonor sentiu o furor dessa tempestade. Não atinou, porém, com os motivos que faziam o marido sofrer tanto.

– Que foi, Frederico? – perguntou ela suavemente, fazendo por esconder seu espanto.

– Perguntais? Ainda perguntais, alma de Satanás? – respondeu o sargento-mor, com rispidez.

E segurando as duas mãos de Leonor, falou de um modo horrendo, com uma voz espremida, que lhe saía do peito como um sopro:

– Mataram meu filho!...

– Que dizeis? – volveu Leonor, não sabendo, de pronto, se chorava ou se gritava.

– E quereis saber quem o matou, Leonor Portes del-Rei?

– Quem, marido?

– Vós... – respondeu Betim, falando ainda baixinho, mas diabolicamente, com a boca perto do rosto da esposa –, dona Leonor!...

– Que estais dizendo? Ficastes louco, Frederico! – exclamou a pobre dama. – Estais louco, meu marido!

– Eu, louco? Escutai, demônio! Mas atenção! Nada de faniquitos nem choros. Olhai bem para mim! Assim! Assim!

E, indiferente ao tremor que se apoderou dos membros de dona Leonor, Frederico Betim continuou:

– Eu vos revelei a história do testamento que foi subtraído de um cartório de Taubaté, lembrais-vos? Desse testamento dependia a felicidade minha, a felicidade de meu filho, a felicidade de vossa filha e a nossa... Mas, por uma imbecilidade que não sei explicar, eu vos confiei a notícia do fato. Fui um idiota de marca, um boçal... Depois... ah! Tremeis, dona Leonor?

– Soltai-me, Frederico Betim! – suplicou dona Leonor, aflita.

– Eu, largar-vos? Sim, depois que me tenhais ouvido... E deveis estar lembrada de que me prometestes, sob juramento, guardar segredo... Ai! Eu fui um imbecil, e vós fostes perjura!... Amaro Gil de Siqueira veio a saber de tudo, dona Leonor! E, por isso, armou-se! E armou seus jagunços!... Teceu planos para vir assaltar-me em minha casa e arrebatar-me o testamento ou arrebatar-me a vida!...

– Mentira, Sr. Frederico Betim de Rodovalho! – rugiu dona Leonor. – Vós mentis cinicamente! Amaro Gil é incapaz de um ato destes!

– Escutai, dona Leonor, escutai! Eu soube de tudo. E, para defender-me, sim, para defender-me... porque eu tinha direito de defender-me, dei instrução a meu homem e mandei-o para o Alto do Gambá... Que se ocultasse... Que me desfizesse um inimigo...

– Que horror, santo Deus! – exclamou dona Leonor como desvairada. – Que estais dizendo, Betim? Vós assassinastes Amaro Gil?

– Amaro Gil? – volveu Frederico Betim... – Eu assassinei meu próprio filho!...

– Estais louco, meu amigo! Enlouquecestes, Betim!

– Calai-vos! Não estou louco, não! Meu filho passou pela estrada antes de Amaro Gil...

– E foi morto por engano?

– Foi morto por vossa causa, alma danada! – concluiu o sargento-mor, querendo chorar.

– Por minha causa? Mas que tinha eu com vossos planos diabólicos?

– Que tínheis vós, dona Leonor? Que tínheis vós?

E Frederico Betim, alucinado, segurou as mãos de Leonor em sua mão esquerda, entre seus dedos musculosos, segurou com uma força irresistível. E, tendo livre a outra mão, sacou de um punhal que trazia na cava do colete...

Dona Leonor tentou fugir... quis gritar, pedir socorro... salvar-se. Mas sentiu que estava presa pelos dedos de Betim como entre as pontas de uma tenaz. Fazendo, então, um esforço sobre-humano, superior a suas condições físicas, largou no ar um grito histérico, lancinante, aterrador:

– Ai! Por que me matais?

Frederico suspendeu a ação assassina. Achou que devia declarar o motivo da sentença:

– Por que vos mato, senhora dona Leonor? – rugiu, furioso, urrando como um animal selvagem. – Estais desmemoriada, Leonor Portes? Estais? Dizei! Não me prometestes guardar segredo? Não me havíeis dito que eu poderia matar-vos, se não guardásseis segredo? E vós não guardastes! Vós fostes visitar Amaro Gil e lhe contastes tudo. Foi então que Amaro Gil traçou planos de morte contra mim... Foi depois de vossa visita...

– Sou inocente, Frederico Betim – gritou dona Leonor, vendo luzir a lâmina do punhal em cima de seu peito... – Eu ignoro tudo! Eu sou inocente!...

Frederico Betim, em uma fúria de desvairado, vibrou a arma... Mas uma força estranha, detendo-o pelas costas, frustrou-lhe o golpe.

– Ela é inocente, sinhô! – bradou Catarina.

De fato, fora a escrava quem tentara impedir o crime. Sua força não tinha sido bastante para desarmar o carrasco. Mas, pelo menos, desviara o golpe.

Descarregando o braço violentamente, Frederico Betim não atingiu a vítima... O punhal roçou, de leve, a roupa de Leonor. Roçou, apenas. Com a rapidez do bote da cascavel. Mas errou o alvo.

Transtornado, e crispando os dedos, e rodando a cabeça em vertigem, Betim largou dona Leonor por um instante e, desvencilhando-se de Catarina com um arranco violento, rugiu:

– Como sabes, negra, que tua senhora é inocente?

– Porque fui eu quem contou tudo ao capitão Amaro Gil!

– E por que o fizeste, língua de trapo?

– Por motivo de consciência, sinhô. Eu consultei o Padre Araújo Meneses e ele me autorizou... Impôs... Disse que eu devia salvar um inocente...

– Tu estás mentindo, negra suja! – vociferou Betim.

E continuando:

– Tudo dá na mesma... Foste tu quem contou... Mas não sabias do fato. A única pessoa que conhecia a história do testamento era Leonor Portes... Sim, ela e eu. Só nós. Portanto, se tu também vieste a saber, foi por intermédio dela... Dessa traidora!...

– Contenha-se, demônio! – gritou Catarina. – Sinhá não me revelou nada... Eu estava escondida no quarto no dia em que o sinhô entrou e lhe contou o roubo do testamento...

– Ah! – exclamou Frederico Betim, compreendendo tudo agora, e voltando-se contra a escrava... – Nós temos uma conta antiga que acertar... Vais morrer, taturana!

E o tresloucado saltou sobre a escrava, em um ímpeto de fera esfomeada. Ia sangrá-la...

– Não! – pensou ele encarando o punhal. – Não! Eu não sujo meu punhal no sangue de uma negra...

E lançando para o lado a arma de aço, agarrou a moça com fúria, frenético, nervoso, desatinado... Tomou-lhe o pescoço entre as mãos eletrizadas... Começou a apertar em uma contração violenta, em que se viam os tendões musculares delinearem sob a pele peluda...

Catarina viu-se asfixiada. Fez esforço para gritar. Não pôde. Sentiu o coração saltar no peito, doidamente... Tentou respirar. Chupou o ar interceptado... O ar penetrou-lhe, a custo, nas ventas, um fio de ar, uma linha de ar, assobiando... Depois, Catarina não respirou mais. Tremeu toda, em um esperneio de agonia, ao qual se seguiu a dissolução muscular, o relaxamento do tônus...

Ouviu-se apenas um grugulejo de cartilagens esmagadas... um ronco de garganta destroçada... Frederico Betim manteve-se firme.

Olhos fixos na vítima, contemplou as últimas contrações dos músculos da face; constatou o relaxamento das pálpebras; observou o esmorecimento do brilho dos olhos... Diante desse espetáculo dantesco, experimentou uma satisfação suprema, uma alegria total, espécie de embevecimento de serpente que traga a presa...

Apalermado, enfim, esgotou a tensão dos músculos da mão... Fase final de nervos distendidos ao máximo; esgotamento de reservas combustíveis nas fibras estriadas... Exaustão.

Soltando os dedos, Betim sentiu um choque nervoso profundo, ao ver cair a seus pés um corpo desarticulado, flácido, massa de carne ainda morna a envolver um feixe de ossos.

Dona Leonor não viu o desfecho da tragédia. Quando Frederico Betim avançara para a escrava, ela pressentiu tudo. Seu sistema nervoso não vibrava mais. Estava extenuado, descarregado. O raciocínio começou a fugir-lhe... O altar, a imagem, as velas, as paredes rodaram diante dela... O teto desceu... E Leonor não viu mais nada. Desfaleceu, caindo para frente no pavimento.

Frederico Betim, como estuporado, imobilizou-se. Tinha os nervos tinindo, o cérebro estalando e as juntas do corpo amolgadas.

Mas foi uma pausa apenas entre duas crises de furor. Como o animal ao qual se ofereceu uma alta dose de estricnina: entre duas crises de contrações violentas, sobrevém uma pausa, uma euforia alentadora; mas as contrações reaparecem, vai crescendo até o auge.

Frederico Betim, vendo morta a escrava e desfalecida a esposa, levantou os olhos e contemplou o altar. A imagenzinha de Nossa Senhora da Conceição, dos Guarás, lá estava em seu nicho e parecia sorrir para o sargento-mor. Olhando-o com simpatia e suavidade, como se fosse pessoa viva; a estatueta de Nossa Senhora não tinha ar de censura ou de condenação para o procedimento infame de Betim. Era, antes, um olhar de meiguice, de ternura, de comiseração, como de quem convidava para a calma, para a reflexão, para o arrependimento.

Encarando a imagem, tão pequenina que não teria meio metro de altura, Frederico Betim achou-a muito alta, de tamanho natural, e risonha, e despedindo dos olhos raios de luz e suavidade.

Súbito, nova crise de furor se apossou do miserável. Tomando de uma tranca que estava atrás da porta da capela e dando pulos incontidos, ele avançou para o altar e começou a vibrar golpes a torto e a direito, golpes loucos, sem direção e sem motivo. Bordoadas destruidoras fizeram em pedaços jarras, castiçais, pedra d'ara, quadros...

A imagenzinha sorria-lhe ainda, sugerindo conversão e calma. Foi então que Frederico Betim, em um salto de endemoninhado, ganhou a mesa do altar... E bufava, como um touro selvagem que escava a terra... Depois, visando a imagem, pôs-se a deblaterar, em espécie de declamação:

– Ela é a culpada... A série de desgraças que caíram sobre mim começaram quando Leonor Portes del-Rei trouxe para aqui esta imagem da Mãe do Cristo... Quando trouxe consigo este ídolo, este objeto de superstição e de idolatria... Chamam-lhe santa e, entretanto, não pôde salvar meu filho... Imagem que tem atraído para minha fazenda esses padres impostores que autorizam uma vil escrava a caluniar o senhor... E até bispos, capitães-generais da idolatria e da feitiçaria pregadas por uma religião desvirtuada. Ah, Cristo!...

E monologando blasfêmias, na fúria de um possesso, de um doido, Frederico Betim ergueu o pau para o ar e desfechou um golpe contra a imagem... Golpe sinistro e fatal... Golpe certeiro e violento... A força brutal, que imprimiu à tranca, daria para pulverizar a santinha. Mas, por coincidência ou por milagre, o ímpeto foi, em parte, amortecido pelo nicho.

A imagem partiu-se em duas, ficando a cabeça separada do tronco... E ambas as partes rolaram com o nicho, indo este cair a um canto. Frederico Betim considerou o efeito de seu braço sacrílego: desolação e destruição!

Mas não sentiu remorso nenhum. Estava transfigurado pela paixão diabólica que lhe invadira a alma. Achou-se aliviado e arfou o peito, vitorioso, contente, como a cobra que descarrega a bolsa de peçonha, picando a rês.

Nesse momento, acudindo aos gritos de Leonor e aos estardalhaços do sargento-mor, barulho inusitado naquele local, tinham aparecido ali, como por encanto, muitos escravos e camaradas.

Frederico Betim dirigiu-se ao feitor e, com aparente serenidade de espírito, explicou:

– Foi um incidente desagradável havido entre mim e minha mulher. Levem-na para a fazenda.

Depois, lembrando-se de Catarina:

– É verdade. Ia-me esquecendo. Suponho que a escrava esteja morta... Teve uma síncope cardíaca, um colapso... É que fui obrigado a repreendê-la, e estranhou. Examinem, e, se acharem que está morta de fato, seja enterrada hoje mesmo... Pode ser no adro do cruzeiro.

Falando ainda ao feitor, e esforçando-se por conter as lágrimas, perguntou:

– Diga, Venceslau: o corpo de meu filho já chegou?

– Já, Sr. sargento-mor.

– Então, desçamos. Vamos providenciar o sepultamento.

Aparecida

Frederico Betim ia descendo a encosta, vagarosamente... mas, a uma observação do feitor, voltou-se para o lado da igrejinha, mediu-a de alto a baixo com olhar e sustou os passos. Assuntou. Em seguida, como quem acha solução para um problema difícil, dirigiu-se ao fiel Antero:

– Venha cá, Antero. Você é meu homem de confiança.

– Sim, sinhô – resmungou o negro.

– Está vendo esta casa?

– Estou, sinhô.

– Bem. Quero hoje mesmo a demolição dela, está entendido? Você junte mais gente e derrube a machado... Destrua, queime... Não fique vestígio desta capela...

Continuou a descer, em companhia do feitor. Antero, porém, hesitante, ficou a espiar para o ar, como a pedir uma confirmação da ordem de vandalismo. Então Betim falou:

– Que está esperando, lobisomem? Dúvida?

– Sinhô, sim! – gaguejou Antero.

– Sinhô sim o que, animal?

– É que, sinhô branco... vosmecê não diz onde ponho a imagem.

– A imagem não existe mais... Partiu-se... Foi um incidente sem importância. O nicho despencou-se do alto, e a imagem partiu-se pelo pescoço.

– Posso consertar...

– Negro malandro – berrou Frederico Betim. – Negro fujão e quilombeiro! Faça o que ordeno. Tome os dois pedaços da imagem e jogue-os no Rio Paraíba...

***

Chama-se tapera o local onde existiu uma habitação humana. Aí pode faltar esteio, monturo, escombros, fragmentos de adobe ou cacos de telha... O que nunca pode faltar é um pé de joá bravo e uma rama de cabaça ou abóbora amargosa.

Quem, meses depois, passasse pelo outeiro sobre o qual estivera de pé a capelinha de Nossa Senhora da Conceição, do Cafundó, veria aí moitas de juazeiro bravo e uma cabaceira, alastrando-se no declive seco e pedrento.

Quanto à imagem quebrada, Antero Siqueira teve escrúpulos de executar as ordens de Betim. Hesitou. Existe em quase toda fazenda um camarada apalermado que se presta admiravelmente aos serviços mais humildes. Trabalha de graça, a troco de comida e de encosto. Vendo a seu lado um destes tipos abobalhados, Antero lembrou-se de transmitir-lhe o encargo; chamou-o pelo nome, e, entregando-lhe um embrulho, ordenou:

Aparecida

– Lance no rio... É ordem de sinhô branco.

E no ruge-ruge da demolição da capela, entre nuvens de pó e ecoar de marteladas, a imagem de Nossa Senhora rolou nas águas pacíficas, pacificamente, *"não se sabendo nunca quem ali a lançasse".*

XVI
Reconciliação

Dona Leonor passou mal à noite. Foi um sono agitado, o seu, povoado de sonhos mortificantes, sonhos incoerentes, entretecidos de pesadelos e sufocações.

De manhã cedo, uma escrava foi pentear-lhe os cabelos, e ela deixou-se ficar no leito, em uma espécie de consulta ao travesseiro, a deliberar sobre os rumos a seguir na vida. Sua perplexidade doentia e a falta de vontade de tomar uma decisão não poderiam entorpecê-la para sempre.

Afinal, resolveu que devia ter energia e sacudir a inércia, mostrando-se forte e resoluta, porque aquilo não era vida. Fazia-se necessário vencer a moleza, a espécie de fatalismo em que vivera até então.

Nada mais tinha de esperar de Frederico Betim. Esse homem inescrupuloso era capaz de tudo. A vida do próximo, para ele, valia tanto como a vida de um frango. Visava aos fins; os meios não lhe importavam.

Fazendo vir Marta para junto de si, dona Leonor pô-la a par de suas novas intenções. E disse-lhe:

– É quase certo que seu pai vive ainda, minha filha. E ele poderá voltar um dia.

– Ah mãe! – observou Marta. – Meu coração diz que meu pai está vivo. E a maior alegria de minha vida, oh! alegria plena, maciça, seria a de poder um dia abraçar meu pai.

– Vamos para Vista Alegre. Não podemos voltar, por enquanto, para nossa propriedade dos Guarás... Amaro Gil administrará a fazenda por nós... até o regresso de Sebastião Gil...

– Tio Amaro Gil é muito bom, mamãe. Ele nos receberá prazerosamente.

– Diga uma coisa, Marta: Betim já voltou da Vila?

– Ainda não, mamãe. Só voltará à tarde. Ouvi-o dizer a Antero que, depois do enterro, teria comunicações a fazer às autoridades de Guaratinguetá. Acrescentou que, por isso, se demoraria. Mas a propósito, mamãe: como se explica a morte de Ildefonso?

– Minha filha – respondeu Leonor, dissimulando –, há mistério em torno do fato. É assim em torno da morte de Catarina.

– Pobre escrava! – exclamou Marta. – Santa criaturinha!

– As coisas não se passaram como se contam... Mas é cedo demais para se esclarecerem. Talvez mesmo nunca se esclareçam... Uma coisa é certa, minha filha: Nossa Senhora da Conceição protege abertamente a família dos Gil Côrtes de Siqueira, protege-os há quase duzentos anos.

Reconciliação

– É verdade, mamãe – concordou Marta, pensando no Capão dos Ipês –, é verdade. Catarina me garantiu que Nossa Senhora viria em meu auxílio... Foi preciso uma catástrofe, é certo. Mas há pessoas que só ouvem a voz de Deus no fragor das tempestades, e Deus precisa falar com elas a língua dos trovões... Frederico Betim, por exemplo.

Enquanto ia conversando com a filha, dona Leonor se levantou da cama, acabou de compor os cabelos, estendeu as colchas e começou a aprontar-se para a fuga... Sim, porque era uma fuga que ela projetava. Se Frederico Betim estivesse presente, impossível lhe seria, à dona Leonor, empreender a viagem para Vista Alegre, e isso sob pretexto nenhum.

Vendo tudo de jeito, Leonor pôs diante de sua filha uma folha de papel, um tinteiro, uma pena de pato, bem talhada, e ordenou:

– Você vai escrever um bilhete para o sargento-mor, Marta. Não quero que esse bruto tenha ilusão nem faça conjeturas absurdas sobre nosso destino. Nada de mistérios.

– Como queira, mamãe – disse Marta, pegando na pena.

– Então escreva:

> "Sr. sargento-mor Frederico Betim de Rodovalho.
> Não faça planos a respeito de meu desaparecimento; é um dever de consciência. Você precisa saber que nosso casamento foi nulo. Meu marido, Sebastião Gil Côrtes de Siquei-

ra, ainda é vivo. Por conseguinte, irei para a companhia de meu cunhado em Vista Alegre e esperarei que a autoridade eclesiástica declare nula, de pleno direito, minha união com você, Sr. sargento-mor. Como o bispo diocesano está em Taubaté, o processo de declaração de nulidade não sofrerá delongas. Nem duvide da notícia que lhe dou. Você abra o forro da sacola que foi tomada ao índio Itaporanga e achará, entre os dois couros, uma carta de meu marido para Amaro Gil, comunicando que virá a São Paulo antes do fim do ano. Se o índio não tivesse sido assassinado, você não teria realizado seu intento. Você sabe disso.

Não tente perturbar minha felicidade. Agradeço-lhe, de coração, as gentilezas que me prodigalizou, durante um ano, e, em retorno, prometo guardar o mais absoluto silêncio sobre os últimos acontecimentos. Dei ordem a meus escravos para que regressem aos Guarás, hoje mesmo.

Adeus, Sr. sargento-mor. Espero merecer sempre sua estima.

Sua sincera admiradora:
Leonor Portes del-Rei"

Leonor passou essa carta a uma pessoa de sua inteira confiança, que a entregasse ao sargento-mor, e foi preparar sua partida, de acordo com seus planos.

***

Reunidos no alpendre da fazenda de Vista Alegre, conversavam Amaro Gil, seu irmão Sebastião Gil e outros. Comentavam os derradeiros acontecimentos, em um ambiente de tristeza e de pasmo.

Tarde fresca. Os raios do sol, dançando nos cabeços dos montes, emprestavam às árvores um brilho avermelhado, sem vida e sem calor. Corruíras e canários procuravam os coices das porteiras e os beirais das casas, para o pernoite. Ouvia-se o piar de uma codorna, ao longe, na vargem. E no ar, e no curral, e no pasto, o sussurro da hora vespertina, e o movimento de animais que se dispersavam, denunciando cansaço e fome.

Alheios ao enlanguescimento da tarde, mas demonstrando, elas também, certo entorpecimento, as pessoas do alpendre palestravam.

– Eu não esperava isso de dona Leonor – disse Madalena, retomando o assunto de que vinham tratando.

– O pior – interveio Amaro Gil – será o escândalo que, por certo, vai acontecer quando o fato vier a público, quando vazar o tumor.

– Não de minha parte, meu irmão – disse Sebastião Gil –, pois pretendo regressar ao sertão e viver vida de viúvo. Suponho, mesmo, que Leonor estava de boa-fé quando contraiu esse segundo casamento.

– Mas e agora, cunhado? Está ainda de boa-fé?

– Não sei, Madalena; Deus lhe fale na alma.

– Você acha, Sebastião – perguntou Amaro Gil –, que foi Frederico Betim quem mandou matar o índio Itaporanga?

– Não tenho a menor dúvida – respondeu Sebastião Gil –, pois só a ele interessava o desaparecimento do índio. Betim descobriu que Itaporanga vinha a Vista Alegre com missão especial. Descobriu ainda que ele era portador de mensagem minha. Ora, se o índio chegasse ao destino, dona Leonor ficaria sabendo que não era viúva. Romperia o noivado. Sua religião lhe ditaria novos rumos. Assim, iam-se por água abaixo os planos do sargento-mor.

– De fato – concordou dona Madalena.

– Mudemos, porém, de assunto – propôs Sebastião Gil, dirigindo-se a seu irmão. – Cheguei aqui ontem e não o encontrei. Soube de sua ida a Guaratinguetá e fiquei apreensivo. É que você tardou muito. Qual o motivo da demora?

– Não foi nenhum contratempo – respondeu o capitão Amaro Gil. – De fato, se eu tivesse vindo pela estrada direta, passando pelo alto do Gambá, teria chegado aqui com duas ou três horas de adiantamento.

– Veio pela estrada real, pai? – perguntou Manuel Gil.

– Sim, foi preciso. Encontrei em Guaratinguetá o licenciado Vital Palma, nosso parente...

– Boa prosa – observou dona Madalena.

– Boa e instrutiva – confirmou o marido. E continuou: – O licenciado seguia para Taubaté e não quis chegar à Vista Alegre. Precisava vir pela estrada pública. Para não ficar privado de sua companhia, aceitei seu convite e viajamos juntos. Abandonei nossa estrada particular, dei volta...

– Daí a demora – observou Sebastião Gil.

– Sim, mano.

– E nossos homens não puderam agir – disse Manuel Gil –, porque estava combinado que esperássemos pela volta de papai.

– Foi bom não termos ido anteontem – notou Amaro Gil. – Se tivéssemos atacado o sargento-mor, surpreenderíamos o Sr. bispo e sua comitiva...

– Imagine que confusão e que contratempo! – observou dona Madalena.

– Mas hoje despacharei minha gente – insistiu Amaro Gil –, hoje sem falta. Preciso reaver o testamento de Baltazar do Rego Barbosa, a qualquer custo.

– Já se sabe dos motivos da vinda do bispo a São Paulo? – perguntou Sebastião Gil, dando outro rumo à conversa.

– São óbvios – respondeu o irmão. – Você ouviu falar da entrevista que houve, há meses, em Guaratinguetá, não ouviu?

– Entre o capitão-general Antônio de Albuquerque e alguns parentes nossos?

– Sim – confirmou Amaro Gil. – Nessa entrevista, Amador Bueno da Veiga portou-se na altura. O capitão-general tinha-se aliado aos emboabas e queria humilhar os paulistas.

– Mas o Amador Bueno – interveio dona Madalena – mostrou que é bisneto de Amador Bueno de Ribeira.

– Houve, pois, uma contenda séria. Logo depois a carta de três de novembro criou a Capitania de São Paulo e nomeou para Governador o próprio Antônio de Albuquerque.

– E, por isso, o bispo vem a São Paulo? – perguntou Sebastião.

– É por isso. Vem preparar o terreno. Dom Francisco de S. Jerônimo, como bom diplomata, espera aplacar os paulistas e armar uma recepção digna do primeiro governador de São Paulo e das Minas Gerais.

– Dizem – observou Manuel Gil – que o capitão-general tomará posse no ano que vem.

– Posse apenas – explicou o pai –, porque já se fala na viagem de Antônio de Albuquerque para ir inspecionar as Minas Gerais; e seu indigitado sucessor, na governança da capitania, está sendo o fidalgo Dom Brás Baltazar da Silveira.

Nesse ponto da conversa, dona Madalena chamou atenção do marido:

– Vêm cavaleiros, Gil.

Amaro Gil olhou para a planície e descobriu, de fato, a aproximação de alguns cavaleiros. Não pôde, porém, reconhecê-los, pois o sol já se tinha posto, e as sombras do crepúsculo começavam a confundir as coisas.

– Não dá para saber quem seja – disse ele.

– Pode ser alguém da parte do sargento-mor – advertiu Madalena.

– É verdade – concordou o marido. – Mas, neste caso, é bom que vocês entrem. Fico eu só, com Manuel. Havendo precisão, alarmem nossos homens.

Dona Madalena e Sebastião Gil entraram. Daí a pouco, com grande surpresa para Amaro Gil, dona Leonor avisou:

– É de paz, sou eu!

Amaro Gil e seu filho desceram, trataram de acomodar os cães que latiam, ameaçadoramente.

– Novidade? – perguntou Amaro Gil à dona Leonor.

– E grande, capitão! Venho ser sua hóspede!

– Mas que felicidade! – interveio Manuel Gil, indo ajudar Marta a desmontar.

Já no alpendre, dona Leonor voltou-se para os camaradas, seus companheiros de viagem, e ordenou:

– Soltem os animais!

E, dirigindo-se a Amaro Gil:

– Estou cansadíssima! Estou mais morta do que viva!

E caiu sobre o sofá grande, à espera de dona Madalena.

– O milagre previsto por Catarina realizou-se, Manuel – falou Marta, dirigindo-se ao primo –, e realizou-se de um modo imprevisto e violento.

– Violento? Do que você está falando?

– Ah! Não sabe ainda? Então fica para depois.

Surgindo na sala, com uma candeia na mão e vendo a parenta refestelada no sofá, dona Madalena exclamou:

– Oh! Salve, Leonor! Espero que tenha vindo para uma longa estada entre nós...

– Sou uma mendiga – atalhou Leonor –, uma miserável mendiga que lhes vem pedir abrigo.

– Mendiga, não – objetou Amaro Gil –, você é dona de Vista Alegre.

– Obrigada, meu querido cunhado – agradeceu Leonor e, reconfortada pelo cordial acolhimento, aventurou: – Amaro Gil, diga: você está ainda resolvido a ir atacar o sargento-mor Frederico Betim?

– Atacar, propriamente, não. Pretendo é ir reaver o testamento de Baltazar do Rego Barbosa, que ele roubou. E como aquele homem não entende outra voz a não ser a voz do trabuco...

– Esteja tranquilo, Amaro Gil – ordenou dona Leonor, apresentando um embrulho amarrado com uma fitinha cor-de-rosa –, esteja tranquilo, meu amigo.

– Tranquilo, eu?

– Sim, porque eu trouxe comigo o testamento de Baltazar do Rego Barbosa...

– Verdade, dona Leonor?

– Eis aqui! Pode conferir.

– Mas como conseguiu encontrar esse testamento, minha tia? – indagou Manuel Gil.

Reconciliação

— Venho fugida de casa, meu sobrinho. Sim, fugida é o termo. Eu não podia mais permanecer onde estava...
— Como esposa de um assassino, de um homem sem escrúpulos – explicou Marta.
— Assassino? – perguntou dona Madalena.
— Assassino! – confirmou Leonor, com exaltação.
— Sim, duas vezes assassino! Matou seu próprio filho...
— Que horror! O que você está dizendo? – exclamou dona Madalena.
— E matou minha pobre Catarina!
— Que absurdo! – rugiu Manuel Gil, indignado e querendo chorar.
— Sacrílego! – continuou Leonor – Sacrílego! Profanou a imagenzinha de Nossa Senhora... Quebrou-a diante de mim! E depois, para consumar seu crime, mandou lançar no rio os pedaços da imagem bendita!
— Meu Deus! – ajuntou Madalena. – Isso é o cúmulo da iniquidade. Oh! O miserável há de pagar, neste mundo ou no outro, esse pecado inominável!
— E queria assassinar-me, o bruto! – rematou dona Leonor, extremamente nervosa.
— Acalme-se, Leonor – disse Amaro Gil –, acalme-se, que a exaltação lhe faz mal.
— Verdade, tio Amaro – interveio Marta –, mamãe tem sofrido muito. Imagine que agora, de tão nervosa que está, deu para variar... Em um pesadelo que teve,

nessa noite, mamãe viu papai em sonho e está cismada... está escrupulosa... está afirmando que papai ainda vive...

– E vive, minha filha! – gritou dona Leonor, chorando e pondo-se de pé, em uma exaltação dolorosa. – Sim, Marta! Seu pai está vivo!... Vivo... Ah! É preciso que eu diga a verdade toda, mesmo que me doa dizê-la: seu pai apareceu-me, no Cafundó!

– Não seria uma alucinação sua, dona Leonor? – perguntou Amaro Gil.

– Ai! Meu bondoso Amaro Gil – suplicou Leonor –, tenha dó de mim... Não zombe... Não escarneça... Sebastião Gil Côrtes de Siqueira voltou do sertão e esteve comigo no Cafundó!

– E tia Leonor não o quis receber?

– Ah, Manuel Gil! – respondeu Leonor, pondo as mãos na cabeça e debulhada em lágrimas. – Eu fui de uma crueldade satânica! Despedi o coitadinho e ordenei que voltasse para o sertão!...

– Mamãe! – exclamou Marta, em um grito de desespero! – Vós agistes assim com meu pobre pai? Mas eu queria tanto ter meu pai comigo! Deus vos perdoe, mamãe!... Deus vos perdoe!...

Ante a consternação que a atitude de Marta despejou no ambiente, inspirando compaixão e contagiando a todos com seu exaltado nervosismo, Amaro Gil adiantou-se para a sobrinha e tranquilizou-a:

Reconciliação

— Tenha fé em Deus, Marta. Seu pai não pode estar muito longe... Como faz poucos dias que se afastou do Cafundó, rumo do sertão, estará ainda nestas imediações... Mandarei procurá-lo, amanhã mesmo... hoje mesmo...

Sebastião Gil, ao saber que a recém-chegada era sua esposa, não quisera aparecer na sala. Deixara-se ficar na varanda, extasiado, emocionado... Desse local ele seguiu todo o curso do diálogo que se desenvolveu entre os presentes. Ao ouvir, porém, a voz de sua filha, tão suave e tão consternada, não se conteve.

Varou o corredor escuro, leve como um fantasma; surgiu, repentinamente, na sala e, avançando para Marta, exclamou:

— Minha filha! Minha filha! Tu és um anjo de bondade e de ternura!...

— Meu pai! O senhor é meu pai! — exclamou também Marta, voando para Sebastião Gil e cobrindo-o de beijos.

— Sebastião Gil! Sebastião Gil! — gritou dona Leonor, em um ímpeto de histerismo, e caindo de joelhos aos pés do marido: — Eu te peço perdão, de joelhos! Ai! Como sou desgraçada!

— Leonor — falou Sebastião Gil, com ternura e unção —, levante-se! O passado é passado.

Os três — pai, mãe e filha — abraçados formaram um grupo só, cuja sombra, à luz suave da candeia, projetou-se na parede, como a sombra de um ente imaginário, fantástico e misterioso.

Choravam convulsamente. Dona Madalena e Manuel Gil, comovidos, também se puseram a chorar. Amaro Gil quis ser forte; sopitou o pranto, momentaneamente; apertou as pálpebras, com os dedos, e esfregou o nariz, em um gesto nervoso, como a querer impedir os soluços.

Mas foi pior. Em um desabafo impetuoso, as lágrimas lhe brotaram nos ângulos dos olhos, e a voz lhe escapou pela garganta, em um timbre dissonante, de choro agitado, de choro selvagem...

Entes estranhos, esses bandeirantes de outrora! Homens de têmpera rija, estavam afeitos às cruezas do desbravar das selvas; não temiam as maxilas dos canguçus ferozes, nem os perigos que a mata virgem, povoada de caiporas e curupiras, oferecia a cada aventureiro... E não obstante, sabiam comover-se até as lágrimas e eram ternos como as crianças, na intimidade do lar e nos lances decisivos da existência!

XVII
A pesca maravilhosa

Por carta régia, de três de novembro de 1709, tinha sido criada a capitania de São Paulo e das Minas Gerais, com um grande trato de território desmembrado da capitania do Rio de Janeiro, que, até então, compreendia todo o sul do país.

São Paulo e Minas, como capitania única, só tiveram três governadores, porque, em vinte de fevereiro de 1720, as Minas Gerais foram separadas de São Paulo, passando a ter governo próprio.

O primeiro governador da capitania de São Paulo e Minas Gerais foi o capitão-general Antônio de Albuquerque Coelho de Carvalho, e o terceiro, o Conde de Assumar, Dom Pedro de Almeida Portugal.

Tendo tomado posse em setembro de 1717, o Conde de Assumar julgou seu dever ir às Minas Gerais, nesse mesmo ano, a serviço del-Rei, porque naquelas partes longínquas da colônia tinham-se descoberto ricas jazidas de ouro, e era necessário estatuir regulamentos e ordenações, para o bom governo da capitania.

Foi por isso que Dom Pedro de Almeida Portugal passou por Guaratinguetá, em outubro desse ano: se-

Aparecida

guia o roteiro da Mantiqueira, em demanda das Minas Gerais.

Honrado com a presença de tão ilustre fidalgo, o Senado da Câmara de Guaratinguetá providenciou para que não faltassem peixes na mesa de S. Excelência.

Mas era época pobre. O Paraíba corria vagaroso, humilde, quase sem água, consequência de uma estiagem prolongada e esterilizadora.

Não obstante, três pescadores da redondeza, confiados em sua perícia, saíram a buscar peixe para a mesa do Sr. Conde de Assumar: eram eles Domingos Garcia, João Alves e Felipe Pedroso.

Confiaram, em vão, em seu perfeito conhecimento do rio. Foi em vão que subiram, batendo remansos; e em vão que desceram, escarafunchando capins e revolvendo aguapés. Todo esforço em vão! Nem uma tubarana! Nem um bagre sequer!

Nesse peregrinar rio acima e rio abaixo, dentro de suas pirogas, foram ter ao Porto de Itaguaçu, onde as águas tranquilas e sonhadoras convidavam para o repouso.

Mas não. Repousar, com os balaios vazios, não estava nos hábitos desses valentes pescadores. E lançaram, portanto, mais uma vez suas redes de arrastão; e a chumbada levou as malhas para o fundo. Algum tempo depois, os pescadores, conjugando esforços, recolheram os cordéis, chamando as redes à superfície.

A pesca maravilhosa

Novamente, trabalho perdido. Não saltaram peixes nas malhas... Não rebrilharam escamas à luz do sol.

Um fato estranho, porém, atraiu a atenção dos três piraquaras. Na rede de João Alves, tirada com cautela, apareceu qualquer coisa que pesava para um lado. O pescador suspendeu o bojo da rede e, examinando o achado, verificou tratar-se de uma imagem de santa. Mas estava um tanto escurecida e era defeituosa: faltava-lhe a cabeça.

Estranhando o fato, João Alves guardou esse corpo incompleto e, de novo, deixou descer a canoa à mercê da correnteza... Logo mais abaixo, lançou outra vez a rede nas águas remansosas.

Colhida a rede, foi encontrada dentro dela uma cabeça de imagem, cabeça que se adaptava admiravelmente ao corpo que, havia pouco, tinha sido achado.

João Alves e seus companheiros, reparando bem, reconheceram que a imagem, reconstituída, representava Nossa Senhora da Conceição, a julgar pelas imagens que se veneravam nas igrejas de Taubaté e das cidades vizinhas.

Mas não souberam explicar o acontecimento. Não descobriram os motivos por que a imagem tinha o corpo separado da cabeça, nem por que viera ter ao rio, em um sítio tão distante dos outros povoados.

Gente simples e piedosa, eles agasalharam respeitosamente a imagenzinha apanhada no seio das águas e continuaram a tarefa.

Aparecida

E em que boa hora! A pesca fez-se miraculosa, como as pescas de Pedro no mar da Galileia no tempo de Jesus. Os peixes fervilharam nas malhas, e pesaram nas canoas, e perfizeram a lotação do espaço útil.

Houve, até, perigo de soçobro. Admirados do sucesso e alevantando as mãos para o céu, a dar graças, os pescadores se retiraram para suas vivendas, para onde levaram uma farta colheita de peixes, incontáveis e da melhor qualidade.

Nunca, em sua vida, havia o Sr. Conde de Assumar saboreado peixes tão delicados!

Pescadores profissionais sem morada certa, ora pousando em uma barraca, à beira-rio, ora dormindo ao relento sob a doce luz do luar, Domingos Garcia e João Alves não se julgaram dignos de guardar a imagem da Senhora. Coube a Felipe Pedroso a honra insigne.

Felipe exultou com a resolução dos amigos. Tendo, pois, sob sua custódia, tão precioso tesouro, ele residiu, primeiro, nas terras de Lourenço de Sá, de onde se passou para Ponte Alta, com intenção de residir aí, definitivamente.

Mas o pescador continuou a ter saudades da vida ribeirinha. Murmúrios da água, no verão, e ruídos da torrente, no inverno, frios e frescuras da vargem, com seus pipilos de insetos no sapezal, tudo isso cantava, em surdina, na alma do pescador. Era a nostalgia das barrancas distantes.

Felipe Pedroso não resistiu. Voltou para Itaguaçu e integrou-se, de novo, a sua vocação. O rio era seu

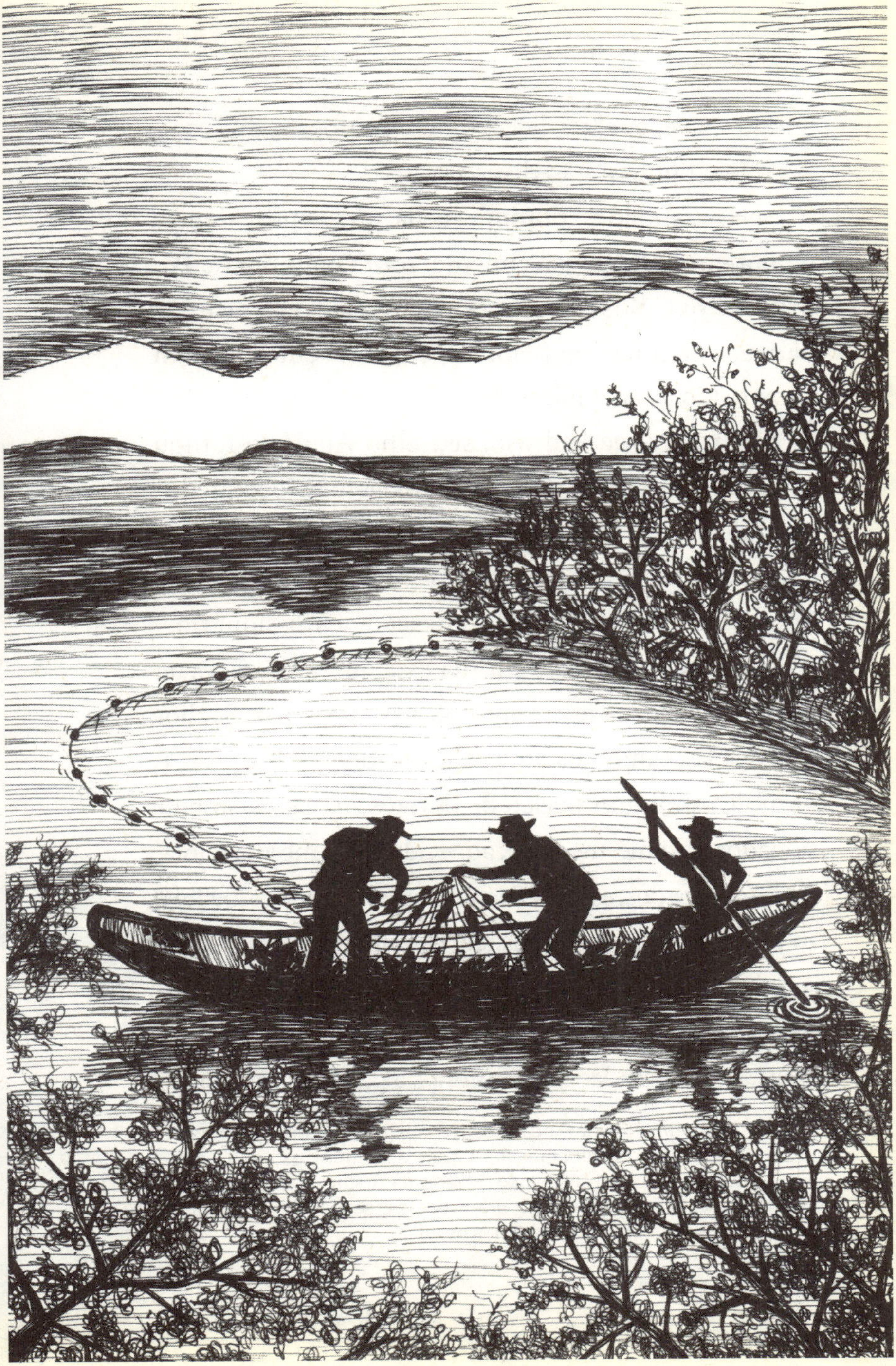

amigo suave, que lhe dava alimento e poesia, duas coisas que o homem não dispensa.

Na realidade, porém, havia uma providência oculta que agia, invisivelmente, sobre o ânimo de Pedroso: é que Nossa Senhora não queria distanciar-se daquelas famílias tradicionais, cujos rebentos haviam construído a nacionalidade.

Morto Felipe Pedroso, seu filho Atanásio tomou sob seus cuidados a guarda da imagem. Moço piedoso, não se contentou Atanásio com a devoção privada, a portas fechadas. Abrasava-o um amor especial à Virgem, zelo de apostolado, vocação de missionário.

Levantou, portanto, em sua casa, um altar; fabricou um oratório de madeira e entronizou a imagem da Senhora. Depois chamou os amigos. Convidou os parentes. E formou, assim, um núcleo de devotos marianos, impulsionados pelo mesmo ideal, aquecidos pela mesma flama.

Aos sábados, esses homens simples e bons, de joelhos, ao pé do altar simples e rústico, debulhavam as contas de seus rosários fervorosamente e, a seguir, entoavam cânticos e loas com vozes másculas e quentes, que reboavam longe, nas quebradas dos caminhos e nas voltas do rio.

> "Em uma destas ocasiões se apagaram, repentinamente, duas luzes de cera que alumiavam a Senhora, estando a noite serena. E querendo logo Silvana da Rocha acender as velas apagadas, também se viram acesas, sem intervir diligência alguma. Foi este o primeiro prodígio."

A pesca maravilhosa

Data daí, historicamente, o início dos milagres e graças obtidas pelos devotos de Nossa Senhora Aparecida: milagres de toda ordem; cura de enfermidades feias e letais, consolação de peitos aflitos, salvaguarda do corpo nos perigos, nos desastres, nos lances difíceis da vida... Conversões e propagação da fé verdadeira.

Espalhando-se a fama dos prodígios e voando longe de Itaguaçu a devoção à imagem aparecida, resolveu o Padre João Alves de Vilela, vigário de Guaratinguetá, prestigiar a ação de Atanásio Pedroso e seus amigos.

Construiu-se, então, uma capelinha local. Mas, pequenina que era, logo foi demolida porque já não abrigava a grande massa de fiéis que vinham de toda parte. Em substituição a essa primitiva capela, edificou-se outra, maior, não já na vargem, mas no alto da colina, que se eleva, fronteira ao porto, dominando a paisagem.

Foi o próprio Pe. José Alves de Vilela que, mais tarde, obteve de Dom João da Cruz, bispo do Rio de Janeiro, licença para benzer essa segunda igreja. Ficou, assim, aprovada pela autoridade eclesiástica a devoção popular, nascida aos pés da imagem daquela que, sob o título de Nossa Senhora da Conceição Aparecida, seria proclamada Padroeira do Brasil, devoção imemorial que, há trezentos anos, unge de suavidade e de ternura a alma do maior país católico do mundo.

XVIII
Epílogo

Pouca gente, neste mundo, conhece o extremo de ventura que é ter perdido um ideal e tornar a encontrá-lo; ver sumir no horizonte o objeto de seus sonhos e, em seguida, ao voltar o rosto para trás, tê-lo de novo ao alcance das mãos. Tal foi a ventura de Manuel Gil. Tal a felicidade de Marta.

Noivos, a euforia apossou-se de suas almas, e viveram venturas inenarráveis, em um embevecimento embriagador e total. Espécie de abstração, em que o mundo real perde seus contornos; obsessão agradável, em que o amante se concentra, ao contemplar o rosto de sua amada; alheamento do real, repouso dos sentidos... A bola de neve que desce da montanha e cresce com o rolar, mas bola de neve que atrasa, porque feita de pensamentos quentes, de beijos castos e revolucionadores, de olhares devoradores... Olhos fitos em outros olhos, êxtase ou magnetismo que representa um momento da eternidade dos céus, porque se processa fora do tempo em uma abstração das coisas que constituem o tempo...

A mulher amada diluída na esmeralda dos campos e dispersa no azul escuro do infinito, mas perto, ao alcance das mãos, complacente e risonha, como uma felicidade que só se realiza pela doação... Estado de ânimo de quem só é feliz fora de si, feliz sob condição de tornar outrem feliz!...

O casamento não trouxe, pois, a Manuel Gil e a Marta notável acréscimo de felicidade nem significou grande mutação no estado psíquico. Foi antes, uma confirmação da posse.

Iam muitas vezes a Itaguaçu, em romaria, ora sós, ora em companhia de Leonor e Sebastião Gil. Contemplavam, com olhos nadando em lágrimas, a imagenzinha da Virgem Santa.

De uma feita, estando de joelhos ao pé do altar, Manuel Gil pareceu duvidar da identidade da imagem.

– Será a mesma? – perguntou ele, querendo sondar a opinião da esposa.

– É – disse Marta – é a mesma Nossa Senhora da Conceição, de Piratininga, dos Guarás, do Cafundó e, por último, de Itaguaçu.

– Nossa família não foi digna de guardar o depósito sagrado.

– Não é bem isso – observou Marta. – Nossa Senhora quis alargar o âmbito de seus favores. Quis ser de todos. Quis ser do Brasil. Nossa família cumpriu uma missão. Apenas cumpriu uma missão.

Epílogo

– E como explica a mudança da cor, Marta?

– Você se esquece de Catarina, Manuel Gil? Você se esquece de tantos pretos, simples e bons, fiéis e cândidos, que sofrem, resignados, nas senzalas? O negro é tido como uma coisa inanimada, transmissível por um contrato de compra e venda, como um animal irracional ou pior ainda. É uma raça sofredora e desprezada. Não obstante, o negro merece a proteção divina, porque há tantos pretos piedosos! A mulher preta tem-nos dado o leite, na infância, e o trabalhador preto, o pão, no correr da vida. Em cada um de nós corre uma gota do sangue ou uma gota de suor da gente preta.

– Justo, minha querida. Nossa Senhora quis reabilitar uma raça. Escureceu-se, no fundo das águas, para mostrar que a cor é um acidente do corpo e não uma nódoa da alma.

Neste momento do diálogo, o casal tinha sua atenção atraída para o adro da igreja. Havia um ajuntamento de pessoas em torno de dois homens recém-chegados. Um deles, algemado, estava também acorrentado, e o outro o arrastava pela corrente. Tratava-se de Antero, velho negro da fazenda do Cafundó, que era levado preso pelo feitor.

– Vamo andando, negro fujão! – vociferava o feitor, chicoteando o escravo.

– Não quero voltá, não! Sinhô Betim vai me matá de pancada! – respondeu Antero, em sinal de protesto.

– É o que tu mereces, patife!

Mas Antero teve uma inspiração, nesse momento. Não podendo entrar na capela, lembrou-se de invocar Nossa Senhora, em voz alta. E gritou:

– Minha Nossa Senhora Aparecida! Tem dó de mim, teu fervoroso devoto! Tem dó, minha Nossa Senhora Aparecida!

– Oh! Prodígio! – exclamaram todos os circunstantes. – Milagre!

De fato, apenas o escravo acabou de fazer sua prece, caíram-lhe as algemas dos punhos e fugiu-lhe do pescoço a corrente.

O feitor, porém, pensando nas ordens severas do sargento-mor Frederico Betim, não quis reconhecer o milagre. E, impassível, carrancudo, colocou de novo as algemas e, de novo, prendeu a corrente no escravo.

Mas este repetiu a súplica:

– Minha Nossa Senhora Aparecida, salva-me do tronco e da morte! Prometo ser teu escravo para o resto da vida e nunca mais me afastar do pé de teu santuário!

Outra vez, prodígio! Caíram, segunda vez, as algemas e a corrente!

Espavorido, então, e tomado de susto, o feitor se rendeu à vontade dos céus. Abandonou o escravo a

Epílogo

sua própria sorte e correu ao Cafundó, onde relatou a Betim o estupendo milagre.

***

Um ano depois, toda a família de Sebastião Gil Côrtes de Siqueira voltava à capela, para cumprir um voto.

Manuel Gil e Marta, casados, tinham passado cinco anos sem ter filho.

– Faça uma promessa a Nossa Senhora Aparecida, Marta – aconselhara dona Leonor Portes del-Rei a sua filha –, e peça a ela um filho.

– Faço, mamãe – respondeu Marta. – Se eu tiver um filho, irei a pé desde os Guarás até Itaguaçu e, se for menina, dar-lhe-ei o nome de Nossa Senhora.

Era por isso que Marta e Manuel Gil voltavam ao santuário de Nossa Senhora Aparecida, um ano depois do milagre do escravo.

Estavam radiantes. Vinham cumprir o voto, pois Nossa Senhora lhes havia dado uma filhinha.

As chuvas tinham tardado muito, nesse ano. Um chuvisco em setembro, alguns relâmpagos em outubro, e o mais foi aquele calor asfixiante, com um sol vivo, castigando a terra sedenta, cheia de fendas. Quando, porém, começou a água descer das nuvens, ali pelo princípio de novembro, não parou mais.

Veio dezembro, friorento e úmido. Do alto da colina, podia-se ver, lá embaixo, a vazante do Paraíba, prateando as vargens. E nevoeiros grossos, movendo-se nos vales, prenunciavam novos aguaceiros, por ventura mais desoladores.

A inclemência do tempo, porém, não impediu que os devotos de Nossa Senhora se pusessem em marcha para a festa máxima da capela, a oito de dezembro. Como por milagre, esse dia amanheceu sereno. Apareceu um ensaio de sol, um olho de sol, meio tímido, que aos poucos venceu as resistências e se fez regateiro, aberto e resplandecente.

Fervorosos devotos, tendo afluído de todas as direções, encheram o recinto do templo e derramaram-se pelo adro e adjacências.

Entre a multidão dos crentes, no silêncio da missa e no zum-zum do adro, viam-se os romeiros da fazenda dos Guarás, chefiados pelo velho Sebastião Gil Côrtes de Siqueira.

O Pe. Vilela acabou de celebrar a Missa e dirigiu-se à sacristia, para onde deveria voltar daí a pouco para dar a imagem a beijar, conforme o costume.

Nesse momento precisamente, enquanto os fiéis aguardavam a cerimônia do beijo da imagem, notou-se geral reboliço na direção da porta principal. Todos os que se achavam na igreja voltaram os rostos para

Epílogo

essa direção, e a massa compacta se dividiu em duas, abrindo corredor para deixar passar alguém.

Um homem, de aspecto nobre, vinha entrando de joelhos. De espaço a espaço interrompia a estranha marcha e beijava o chão, humildemente.

Não haveria, por certo, motivo para espanto entre os fiéis, pois esse gênero de promessa foi sempre usual na capelinha. Mas um murmúrio de admiração correu de boca em boca, explicando o fato.

Aqui foi um escravo que cochichou para outro:

– É o sinhô do Cafundó!

Mais adiante, outra voz, também denotando estranheza, murmurou:

– Olhe! É o sargento-mor Frederico Betim de Rodovalho!

– Ora, o Betim! – diziam outros, meio escandalizados. – O Betim! Ninguém vai acreditar em sua conversão. Com certeza veio após o escravo.

– Milagre! Milagre! – comentaram algumas devotas, a meia-voz.

Indiferente aos cochichos que ia ouvindo, de espanto ou escândalo, Frederico Betim arrastou-se até o supedâneo do altar; aí chegando, beijou o chão pela última vez e, encarando a imagem de Nossa Senhora, orou:

– Virgem bendita! Eu vos agradeço o alívio que me destes...

Em seguida, levantou-se, virou o rosto para a multidão estupefata e explicou:

– Meus irmãos na fé! Eu sou um convertido... Já me ajoelhei aos pés do confessor. E estou certo de haver obtido o perdão de meus pecados... Mas isto só não bastava. Vendi minhas propriedades e quero reparar todo o mal que fiz. Se dei prejuízo a alguém, pretendo restituir... e com juros. Peço aos prejudicados que me procurem. Já indenizei aqueles de quem me lembrava. Mas posso ter esquecido algum.

Ao dar essa explicação, Betim reparou que seu escravo Antero, do meio do povo, fixava nele uns grandes olhos vermelhos, denunciando pasmo ou descrença.

– Venha cá, Antero! – ordenou, então.

Atendendo ao chamado, Antero caminhou para o senhor. Ignorava-lhe as intenções, mas obedeceu assim mesmo, confiando na gravidade das circunstâncias.

Frederico Betim desceu do supedâneo do altar e, beijando o escravo na testa, falou:

– Eu te declaro livre, meu irmão! Nossa Senhora me tocou a alma por meio do milagre que fez em tua pessoa.

Antero, maravilhado, lançou-se aos pés de seu ex--senhor, exclamando:

– Quanto o sinhô é bão! Quanto o sinhô é bão! Eu beijo seus pés, sinhô!

Epílogo

Muitas pessoas choravam de comoção, ouvindo a palavra grave e observando as atitudes firmes de Frederico Betim.

O negro também se pôs a soluçar, sentidamente.

Meia hora depois, Frederico Betim e dona Leonor Portes del-Rei encontraram-se no adro. Entreolhando-se com certa desconfiança, trocaram um cumprimento frio, embora respeitoso.

Foi dona Leonor quem primeiro falou:

– Já sei de sua conversão, Sr. sargento-mor.

– Fui um perverso, dona Leonor – volveu Betim –, fui um covarde. Mas agora sou outro.

– Vendeu a fazenda?

– Sim, dona Leonor, vendi. Pretendo mudar-me para o sertão. Já me tinha inscrito na bandeira de Dom João de Toledo Pizza e Castelhanos, que vai minerar no arraial dos *Paulistas do Ouro-Fala*, nos confins da *campanha do Rio Verde*. Nosso amigo Pe. Francisco de Araújo Meneses vai também com os Toledos. Mas vim a saber que o matador de meu filho Ildefonso frequenta aquelas paragens e desisti. Irei mais para longe. É minha intenção formar minha própria bandeira. Levo comigo meu sobrinho, Betim Pais Leme: se eu morrer, ele assumirá o comando da bandeira.

– Rezarei muito a Nossa Senhora, meu amigo – disse Leonor –, rezarei para que o Sr. seja feliz em sua jornada.

– Isto, dona Leonor, reze muito por mim, reze sempre. Reze para que eu persevere na prática do bem e da Religião.

Ao despedirem-se, pediu o sargento-mor: Quero merecer-lhe um favor, dona Leonor.

– Mande, Sr. sargento-mor.

– É que Vossa Senhoria explique tudo ao capitão Amaro Gil, de quem quero ser amigo. Que ele me perdoe. Eu o caluniei publicamente. No entanto, é um homem digno. Mas o ódio e a ambição me cegaram.

***

Antes de regressarem aos Guarás, Manuel Gil e Marta fizeram o batizado de sua filha primogênita, tendo sido padrinhos da pequena os próprios avós. A criança chamou-se MARIA APARECIDA e foi a primeira menina que teve esse nome no Brasil. Nome tão nosso e tão bonito!

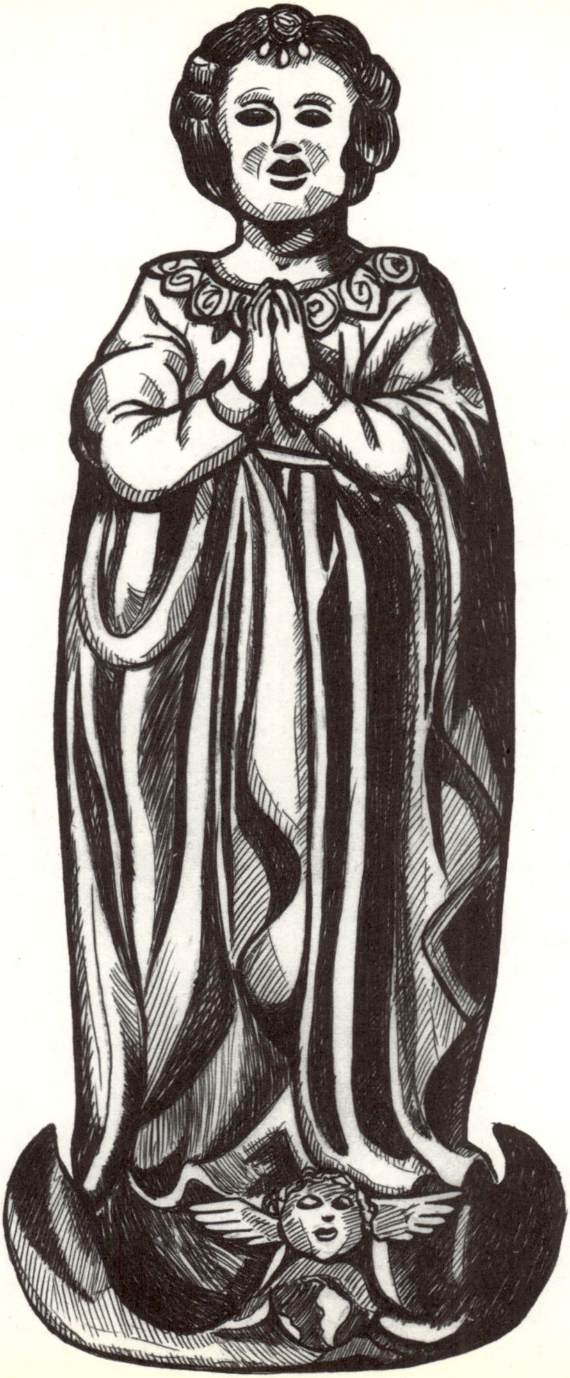

Índice

Palavras iniciais..7
Prefácio de Rodrigo Alvarez 9
Prefácio da primeira edição 13
Explicação prévia..17
I. Segundas núpcias..21
II. Visita rápida..33
III. A imagem milagrosa..43
IV. Separação...51
V. O voto da escrava...61
VI. Desavenças..69
VII. O testamento...83
VIII. A última festa religiosa...93
IX. O "memorare" de São Bernardo........................... 101
X. Preparativos.. 113
XI. O regresso 119
XII. A emboscada 131
XIII. O desastre.. 137
XIV. Os fazedores do Brasil... 157
XV. Sacrilégio 167
XVI. Reconciliação.. 187
XVII. A pesca maravilhosa... 201
XVIII. Epílogo.. 209

Este livro foi composto com as famílias tipográficas Minion Pro e
Sabon e impresso em papel Pólen Bold 70g/m² pela **Gráfica Santuário**